邪道

プロや専門家から見たら「ありえない」作り方。なのに、

にして

食べたら「これ世界でいちばんウマいわ」ってなるレシピ。

至高。

中華の基本を
ぜんぶ無視して
ディップする
「至高のエビマヨ」

1 いつもの定番料理が見たことないアイデアで、人生最高の味にキマる!

レシピ通りに作れば、
だれでもこの味にたどりつけるよう、
工程をめちゃくちゃ丁寧に載せました。

味つけは
煮詰めたケチャップ
だけでいい
「至高のナポリタン」

みそ汁ではなく、
モツ煮の
やり方で作る
「至高の豚汁」

2 しかも、ウマさへの最短距離を突破する

ウマいもの作るために
本当に必要なことしか、
やらなくていいし書いてません。

TKG史上
最高のサプライズ
「至高の卵かけごはん」

ただトースターに
放り込むだけで
したたり落ちる肉汁
「至高のグリルチキン」

3 つまりこの本は、台所に立つすべての人の最強の味方なんです。

至高のレシピ。それはウマさと効率を
限界まで両立させた、
新しい「料理の教科書」。

ハンバーグと
ポテサラ、それは、
生きる喜び。
「至高のハンバーグ」
「至高のポテトサラダ」

はじめに

台所に立つ人って孤独ですよね。
今日何にしようか?って考えるのも、作るのも、ぜんぶ自分ひとりでやんなきゃいけない。そこに寄り添えるのは料理研究家しかいない。だからぼくは、台所に立つすべての人の味方であろうといつも思っています。だから、「至高のレシピ」は、ぼくの自炊人生の集大成であり、みんなに贈れる最後にして最高のプレゼントです。
あんまり料理が得意じゃない人には、「あ、けっこう美味しくできた」と自信にしてもらえれば嬉しいし、料理が好きな人には、「自分史上最高の味」を更新してもらいたい。
自炊の何が最高かって、好みの味にカスタマイズできることです。どんなに腕のいいシェフでも、あなたの好みを完全に把握はできません。自分の舌に合わせられるのは自分にだけ許された特権。好きな味を生み出す方法さえわかれば、自分で作ったごはんは世界一美味しくなります。
まずは、レシピ通りに作ってもらって、ぼくの味を試してください。繰り返していくうちに好みの料理研究家がわかり、好みの味つけがわかります。つまり、料理が上手になります。人によると思いますが、ぼくはその人が美味しいと感じるならむしろアレンジしてほしいです。自分自身の「ウマい」がいちばん正しいし、尊いから。
きれいごとばっかり言ってしまって、すみません。撤回します。この本に出てくる100のレシピは、食卓によく出る「基本の料理」を、邪道極まりないやり方で進化させた「禁術」です。一度作ってしまったら、すべてが過去になり、これまでの味では満足できなくなりますので、ご注意ください。
YouTubeだとどうしようもないぼくですが、こんなぼくを見て楽しい気分になっていただければ。時にはね、ちょっとうるせーなって思うかもしれないですけれども、そのときはぜひ笑っていただいて。出来上がる料理はウマいですから。

リュウジ

目次

永久リピート決定レシピ

日本よ、これが定番だ シン・おかず

カンタンかつメイン級
超・実用副菜

ぼくのかんがえたさいきょうの
オムライス・丼・カレー・チャーハン

35年かけてたどり着いた 常識を変える麺類

日本一料理ができる酒クズが考えた 世界一酒に合うおつまみ

手作りのウマさがわかる! 至福のスープ・鍋・シチュー

1200円払ってたことが悔やまれる 店超えパン&スイーツ

本書の使い方

大さじ・小さじ

大さじ1は15cc、小さじ1は5cc。

よくわからない料理用語

わかりやすいよう言語化してみました。

少々…別になくてもそこまで味に影響ないけど
とりあえず気持ち入れろ

ひとつまみ…これくらい入れたらさすがに味変わるやろ
と思うくらい指3本でつまんで入れろ

適量…自分がウマいと思うまで入れろ

一晩置く…寝ろ

少々とか適量は、「最後の味付けはお前が決めんだよ、お前の料理だろ」という料理家の強いメッセージです。

味つけ

ぼくは酒のみなので、本書の味つけは基本的に濃い目です。塩や白だしなど塩分の強い調味料は、味を見て、自分の好みに調整してください。

火加減

ご家庭のコンロにより火力が異なるので、レシピの火加減と加熱時間を目安に調整してください。

電子レンジの加熱時間

本書のレシピは600Wの場合の目安です。500Wの場合は1.2倍にしてください。

調理工程

野菜を洗う、皮をむく、種やヘタを取る、などは省いています。具材の切り方に指定がなければ、ご自身の食べやすい大きさに切ってください。

よく使う調味料

- 砂糖は上白糖、塩は食卓塩、酢は穀物酢、醤油は濃口、みそは合わせみそ（だし無添加）を使っています。
- 胡椒は黒胡椒、白だしはヤマキの割烹白だし（塩分10%のもの。白だしは製品によって塩分が異なるので注意してください）、中華調味料は創味シャンタン、酒は清酒（料理酒は塩分が入っているのでオススメしません）、みりんは本みりんを使っています。

特別な調味料

今回の本には、豆板醤・甜麺醤・ナンプラーなど少しだけ特別な調味料が出てきます。すみませんが買ってください。（その代わり、使えるレシピをたくさん公開しています。バズレシピ.comに調味料の名前を入れて検索してみてください）

味の素（うま味調味料）の使い方

うま味調味料は、「塩分」ではなく「うま味の塊」です。なので、塩分の強い調味料と合わせて使うと料理が美味しくなります。つまり、醤油+味の素=「だし醤油」、塩+味の素=「だし塩」、みそ+味の素=「だしみそ」という組み合わせが基本です。これらをコンソメや和風だしの代わりに使うと、鰹節やビーフの香りを添加せずに「うま味のみ」を料理に足せるので、シンプルに、「素材の味を生かす調味料」として、ぼくは使っています。

チューブにんにく/しょうがの計量

チューブと生は、「イチゴ」と「イチゴ味」くらいの違いがあるので、できれば生を使ってください。ゼスターグレーターというおろし器がめちゃくちゃ便利です。

にんにく

生	チューブ
1/2かけ	小さじ1/2
1かけ	小さじ1
2かけ	小さじ2

しょうが

生	チューブ
5g	小さじ1
10g	小さじ2
15g	大さじ1

レシピ動画を見れるQRコード

各章の最後のページに、リュウジのYouTube動画を見れるQRコードを載せています。より詳しくポイントやコツを説明しているので、一回は動画を見てもらうとレシピを自分のものにしやすいです。

1

永久リピート決定レシピ

1,000以上あるリュウジレシピの中から、
まず作ってほしいものがこちら。
「邪道にして至高」というコンセプトを
実感してください。

湧き水のごとき肉汁が口の中にあふれる
至高のハンバーグ

料理研究家として
ダメになったら、このレシピで
ハンバーグ屋さんを
やろうと思ってました

材料
（2人前）

肉だね

- 合いびき肉…300g
  こねる直前まで冷蔵庫に入れて冷やしておく
- たまねぎ（みじん）…小1/2こ（100g）
- バター…10g
- 塩…少々
- Ⓐ卵…1こ
  牛脂（刻む）…2こ
  パン粉…大さじ4
  水…大さじ3
  顆粒コンソメ…小さじ2/3
  粉ゼラチン…小さじ2
  肉汁を閉じ込めるので絶対入れて
  塩…少々
  黒胡椒…少々

焼くとき

- サラダ油…小さじ1
- 水…30〜50cc

ソース

- Ⓑ醤油…大さじ2
  みりん…大さじ2
  酒…大さじ2
  味の素…2ふり
  にんにく（おろし）…1かけ

1 たまねぎを炒める

フライパンにバターを熱し、たまねぎに塩をふって中火で炒める。軽く焦げ目がついたら火を止め、粗熱をとる。

POINT

2 肉だねを作る

ボウルに冷えたひき肉・❶・Ⓐを入れて、牛脂をつぶしながら粘り気が出るまでこねる。空気を抜きながら2つに成形し、真ん中をくぼませる。

3 焼き目をつける

フライパンに油を熱し、弱めの中火で焼く。焼き目がついたらフタをして3分焼き、裏返したらフタをして1分半焼く。

4 蒸し焼きにする

水を加えてフタをし、5〜6分蒸し焼きにする。（つまようじを刺して、あふれてきた肉汁が透き通っていればOK）

5 和風ソースを作る

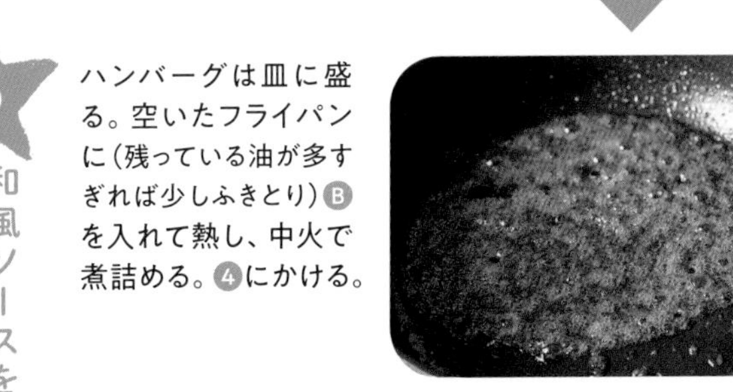

ハンバーグは皿に盛る。空いたフライパンに（残っている油が多すぎれば少しふきとり）Ⓑを入れて熱し、中火で煮詰める。❹にかける。

至高のナポリタン

味つけは「煮詰めたケチャップ」だけでいい

100
RYUJI'S SUPREME
COOKING
RECIPE

材料（1人前）

- ウィンナー（斜め切り）…3本（50g）
- たまねぎ（薄切り）…小1/4こ（50g）
- マッシュルーム（5mm幅）…2こ（50g）
- ピーマン（細切り）…小1こ
- パスタ（1.9mm）…100g
  太麺のほうがウマい

調味料

- ケチャップ…大さじ4
- バター…10g

炒めるとき

- サラダ油…小さじ2

ゆでるとき

- 水…1ℓ
- 塩…10g
  おすましくらいの濃さ

仕上げ

- 粉チーズ…少々
- （好みで）パセリ

ウマすぎて語彙力なくします。ずっと弁当に入れてくれてる人もいる

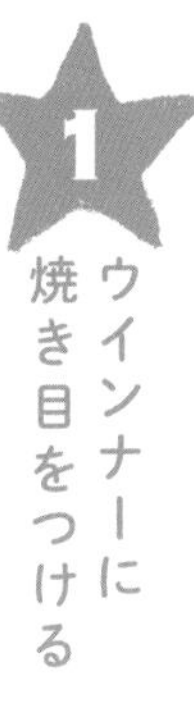

フライパンに油を熱し、ウインナーを中火であまり動かさずに焼く。

2 具材とケチャップを煮詰める

たまねぎを加えて、少ししんなりするまで炒める。ケチャップとマッシュルームを入れたら弱火にし、ケチャップが具材にまとわりつくまでしっかり炒める。（酸味が飛んで、甘さと旨味だけが残ります）

3 バターとピーマンを後入れ

バターは風味を、ピーマンは食感を残すために、後入れでサッと炒める。

4 パスタを絡める

別の鍋に塩水を沸かし、パスタをゆでる。ザルにあけたら❸に加え、オレンジ色になるまで炒める。

世界一お酒に合う 至高のポテトサラダ

材料
(2人前)

- ブロックベーコン(ダイス状)…60g
- Ⓐじゃがいも(ひと口大)…2こ(320g)
  たまねぎ(薄切り)…小1/4こ(50g)
  にんにく(スライス)…2かけ
  水…大さじ3

調味料

- Ⓑマヨネーズ…大さじ3と1/2
  塩…小さじ1/3
  黒胡椒…小さじ1弱
  砂糖…小さじ1
  味の素…6ふり

炒めるとき

- オリーブ油…小さじ1

仕上げ

- (好みで)黒胡椒
- (好みで)タバスコ

1 じゃがいもをチンする
耐熱容器にⒶを入れ、ラップをかけてレンジで6分温める。

2 ベーコンをカリカリにする
フライパンに油を熱し、ベーコンを弱火で脂が出てくるまで炒める。❶に油ごと入れる。

3 混ぜ合わせる
具材を崩しながら混ぜ、人肌まで冷ます。Ⓑを加えて混ぜ合わせる。

(水分は捨てなくていい)

(熱々の状態でマヨネーズを混ぜると分離します)

材料（作りやすい分量）

- 卵…7こ 直前まで冷蔵庫で冷やしておく
- かつおぶし…2g
- 長ねぎ（青い部分）…1本分
- にんにく（つぶす）…1かけ

調味料

- Ⓐ醤油…大さじ4
  みりん…大さじ3
  酒…大さじ2と1/2
  砂糖…小さじ1と1/2
  味の素…7ふり

100 RYUJI'S SUPREME COOKING RECIPE

魔法の粉で、卵はここまでウマくなる

至高の煮卵

魔法の粉は「だしのもと」になります。みそ汁もお茶漬けもこれで作るとウマい

1 魔法の粉を作る

耐熱容器にかつおぶしを入れて、ラップをかけずにレンジで40秒温める。粗熱がとれたら、指ですりつぶして粉状にする。

2 タレを作る

鍋に❶とⒶを入れて、沸かす。火を止め、長ねぎとにんにくを加えて粗熱をとる。

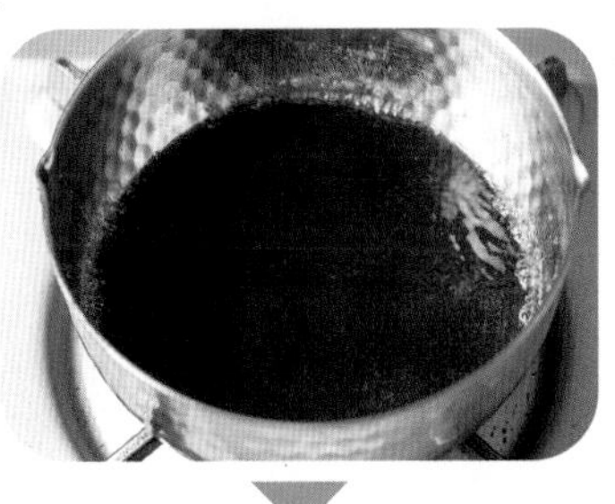

3 やや半熟のゆで卵を作る

鍋にお湯を沸かし、サッと水で濡らした卵を中火で7分ゆでる。冷やして殻をむく。

4 卵は煮ずに、漬ける

❷をポリ袋に移し、❸の卵を入れて空気を抜き、一晩（できれば二～三晩）漬ける。

至高の炒飯

僕が思う一番ウマいチャーハン

100
RYUJI'S SUPREME COOKING RECIPE

材料（1人前）

- 豚バラ薄切り肉（米粒大に切る）…50g
- 卵（溶いておく）…2こ
- 長ねぎ（みじん）…5cm
- しょうが（みじん）…3g
- 温かいごはん…200g

調味料

- 塩…小さじ1/2
- 味の素…8ふり
- 黒胡椒…思ってる3倍
- 酒…大さじ1

炒めるとき

- サラダ油…大さじ1と1/2

トッピング

- （好みで）紅しょうが

1 材料を先に並べる

作業台に、すべての材料を用意する（具材を炒めはじめたらスピード勝負）

POINT

2 美味しい油を作る

フライパンに油を熱し、豚肉に塩をふって、強火で軽く焦げ目がつくまで炒める。染み出た脂と肉を分け、油だまりにしょうがを加える。

3 卵とごはんを炒める

香りが出たら卵・ごはんを順に加えて手早く炒める。軽くほぐれたら、塩と味の素を加えてさらに炒める。

4 長ねぎを加える

長ねぎを加えて、黒胡椒をふり、全体がパラっとするまで混ぜ炒める。

5 酒を加える

酒を加えて、サッと炒める。（少しの水分が、米をパラパラとしっとりの中間、最高の状態に仕上げてくれます）

具材で
「美味しい油」を作って、
米に吸わせるイメージです

これのせいで居酒屋で頼まなくなった 最高の唐揚げ

材料（2人前）

- 鶏もも肉（ひと口大）…320g
  分厚いところは小さめに切る
- にんにく（おろし）…1かけ

調味料

- Ⓐ醤油…大さじ3強
  酒…大さじ1
  みりん…大さじ1
  味の素…8ふり
  ナツメグ…5ふり
  香りが違うから絶対入れて
- 片栗粉…たっぷり

揚げるとき

- サラダ油…底から1cm

トッピング

- レモン…1くし

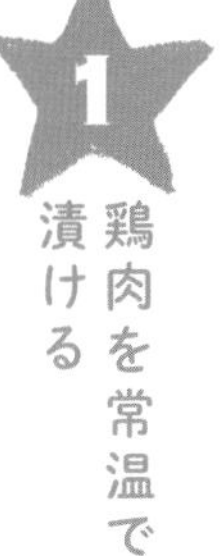

1 鶏肉を常温で漬ける

ボウルに鶏肉・にんにく・Ⓐを入れてよーくもみ込み、常温で20～40分ほどおく。

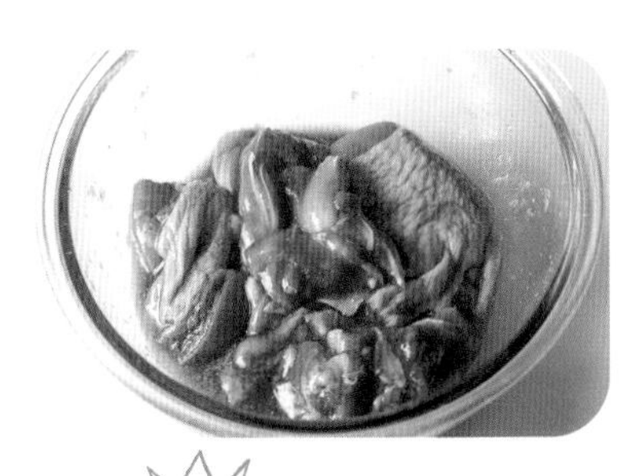

POINT

2 揚げ焼きにする

❶の汁気をよーく切り、片栗粉をたっぷりまぶす。小さめのフライパンに油を強めの中火で熱し、揚げる。（油の量は肉が半分浸かるくらいでOK）

3 余熱で火を通す

トイプードル色になったらペーパータオルに取り出し、2～3分休ませて余熱で火を通す。

ナツメグ、それは
悪魔の調味料

100
RYUJI'S SUPREME COOKING RECIPE

至高の豚汁

「これ、もつ煮じゃん」って言う人、料理わかってる

材料（4〜5人前）

- 豚バラ薄切り肉（3~4cm幅）…280g
- ごぼう（斜めに薄切り）…150g
- Ⓐにんじん（半月切り）…100g
  大根（イチョウ切り）…200g
  こんにゃく（スプーンでちぎる）…1パック（250g）
  ぬるま湯で洗って臭みを抜く
- 長ねぎ（斜め切り）…1本（120g）
- にんにく（おろし）…2かけ
- しょうが（おろし）…10g

炒めるとき

- ごま油…大さじ1

調味料

- 塩胡椒…少々
- Ⓑ水…1ℓ
  白だし…大さじ4
  酒…大さじ2
  みりん…大さじ2
  みそ…大さじ4

みそ汁は最後にみそ、
豚汁は最初からみそ

1 ごぼうに焼き目をつける

鍋に油を熱し、ごぼうを中火で炒めて焼き目をつける。

2 ほかの食材も炒める

塩胡椒をした豚肉を加えて炒め、焼き目がついたらⒶを加え、全体に油がなじむまで炒める。

POINT

3 先にみそを加えて煮込む

Ⓑを加え、一度沸かしたら弱めの中火にして20分煮込み、具材に味を染み込ませる。
（アクは旨味なので取らなくていいです）

4 にんにく・しょうが長ねぎは後入れ

（香りが飛ばないように）にんにく・しょうがは後から加え、溶かし込む。長ねぎも加え、3分ほど火が通るまで煮込む。

至高のカレー

市販のルウでたどり着ける最短で最高の味

材料（3～4人前）

- 豚こま切れ肉…300g
- たまねぎ（薄切り）…1こ（300g）
- にんにく（おろし）…1かけ

調味料

- 塩…1つまみ
- 黒胡椒…好みで
- カレールウ（中辛）…4かけ
  ジャワカレーがおすすめ
- Ⓐバター…10g
  砂糖…小さじ1
  ウスターソース…小さじ2
- 水…600cc

炒めるとき

- サラダ油…大さじ1

1 たまねぎをチンする

耐熱ボウルにたまねぎを広げて入れ、ラップをかけずに3分温めて水分を飛ばす。（飴色たまねぎを時短で作る方法です）

2 たまねぎを炒める

フライパンに油を熱し、❶を入れ、強火で全体の3～4割に焦げ目がつくまで炒める。（ヘラで広げて焼きつける→1分経ったら裏返す、を繰り返す）

3 豚肉を加えて炒める

中火にして豚肉を加え、塩と黒胡椒をふって炒める。肉の色が変わったら、水とにんにくを入れて一度沸かし、火を止める。

4 ルウと調味料を加える

ルウを溶かし入れる。もう一度中火でひと煮立ちさせたら、弱火にしてⒶを加え、とろみがつくまで混ぜる。

日本中の
「我が家のカレー」が
これになってしまう

YouTube動画一覧

下記のQRコードをスマホのカメラで読み込んでいただくと、
リュウジのYouTube動画をご覧いただけます。
（初めて見る方はびっくりされると思いますが、料理だけをご覧ください）

※見たい動画のQRコード以外は手で覆い隠しながら、スマホのカメラをかざすと読み込みやすいです。

ハンバーグ	ナポリタン	ポテトサラダ	煮卵

炒飯	**唐揚げ**	**豚汁**	**カレー**

よく、「レシピを見ずに料理できるようにならなきゃね」とプレッシャーをかける人がいますが、人の舌はそこまで正確ではないので個人の感覚に頼るとかならず味がブレます。飲食店でも感覚で作っているところはほぼないです。なので、レシピを見るのは恥ずかしいことじゃない。とても丁寧に作っているだけなのです。

2

日本よ、これが定番だシン・おかず

味付けではなく「焼き方」が違う照り焼きチキン、
水を一滴も使わない「無水」肉じゃが、
前代未聞の「ディップして食べる」エビマヨ、
この味が、食卓の新しい定番です。

すべてが口の中で「ちょうどいい」

至高のチキン南蛮

100
RYUJI's SUPREME COOKING RECIPE

材料（1～2人前）

- 鶏もも肉（ひと口大）…300g
  常温に戻しておく

調味料

- 塩胡椒…少々
- 薄力粉…大さじ2
- 卵…1こ

タルタルソース

- たまねぎ（みじん）…1/8こ
- スイートピクルス（みじん）…15g
  香りが違うから絶対入れて
- 卵…1こ
- Ⓐマヨネーズ…大さじ3
  ケチャップ…小さじ1強
  塩…小さじ1/4
  黒胡椒…たっぷり

甘酢タレ

- たまねぎ（極薄切り）…1/8こ
- Ⓑ醤油…大さじ1と1/2
  砂糖…大さじ1と1/2
  酢…大さじ1と1/2
  ケチャップ…小さじ1
  味の素…4ふり

揚げるとき

- サラダ油…底から1cm

タルタルは
ピクルスを使うとハーブの
香りで数段ウマくなります。
買ってください！

1 時短でゆで卵を作る

小さめのフライパンに底から1cmの水（分量外）を沸かし、卵を割り入れる。フタをして中火で1分蒸し、裏返してもう一度フタをし、黄身が固まるまで2分蒸す。

2 タルタルソースを作る

❶をみじん切りにしてボウルに入れ、たまねぎ（みじん）・ピクルス・Ⓐと混ぜ合わせる。（生のたまねぎの辛味が苦手な人は数分水にさらしてから）

3 甘酢タレを作る

鍋にたまねぎ（極薄切り）とⒷを入れ、弱火でとろみがつくまで煮詰める。

POINT

4 鶏肉に卵をもみ込む

ボウルに鶏肉を入れ、塩胡椒をふり、薄力粉をまぶす。卵を溶き入れ、肉に卵がぜんぶ染み込むまでよーくもみ込む。

5 揚げ焼きにする

小さめのフライパンに油を中火で熱し、鶏肉を両面が柴犬色になるまで揚げる。ペーパータオルに取り出して油を切り、数分おいて余熱で火を通す。皿に盛り、❸→❷の順にかける。

至高の生姜焼き

「千切り」「すりおろし」Wしょうがで飛びなさい

材料（1～2人前）

- 豚ロース生姜焼き用…200g
- しょうが…15g
  できれば国産、香りが違う

焼くとき

- サラダ油…大さじ1

調味料

- 塩胡椒…少々
- 薄力粉…適量
- Ⓐ酒…大さじ2
  みりん…小さじ2
  醤油…大さじ1と1/2
  砂糖…小さじ1
  味の素…4ふり

トッピング

- キャベツ…好みで

もっと分厚い
トンカツ用の肉で
作ってもウマい

1 しょうがを2種類に切る

しょうがの半分は皮つきのまま千切りに、もう半分はすりおろす。

POINT

2 豚肉の下ごしらえ

塩胡椒を片面にふり、薄力粉は両面にしっかりまぶす。

3 焼き目をつける

フライパンに油を熱し、豚肉に強火で焼き目をつける。大さじ1くらいの油を残し、余分な油はペーパータオルで吸いとる。

4 調味料を加えて煮詰める

弱めの中火にし、Ⓐとしょうがを加え、とろみがつくまでサッと煮絡める。

中華の基本をぜんぶ無視した

至高のエビマヨ

材料（2人前）

- バナメイエビ（殻つき）…10尾
  殻つきの方がプリッとしてウマい

調味料

- 塩…1つまみ
- 味の素…1ふり
- Ⓐ片栗粉…大さじ2
  薄力粉…大さじ3
  塩…小さじ1/5
  炭酸水…大さじ4
  衣がパリッとします

マヨソース

- マヨネーズ…大さじ4
  ケチャップ…大さじ1
  練乳…大さじ1
  美味しいから絶対入れて
  塩…3つまみ
  味の素…2ふり
  （好みで）ジン…小さじ1弱
  お酒飲めない人は入れなくていい
- カシューナッツ…3～4粒

揚げるとき

- サラダ油…底から1cm

味変

- （好みで）タバスコ

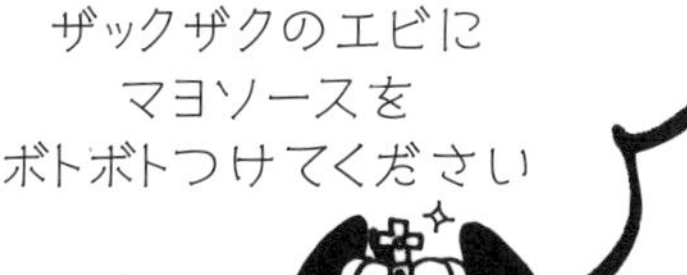

ザックザクのエビに
マヨソースを
ボトボトつけてください

1 マヨソースを作る

マヨソースの材料をよく混ぜて、器に盛る。

2 エビの下ごしらえ

殻と背ワタをとり、塩と味の素をもみ込む。（背ワタはつまようじで引き抜く。しっぽは写真の位置を押さえて引っこ抜く）

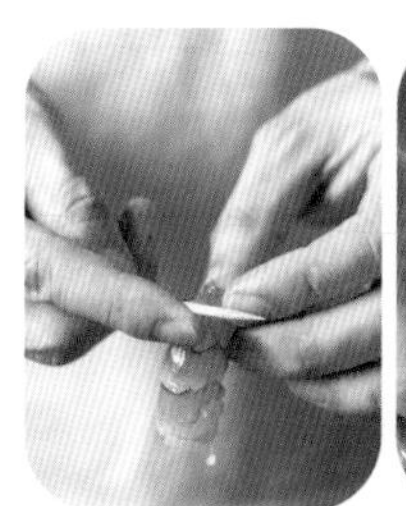

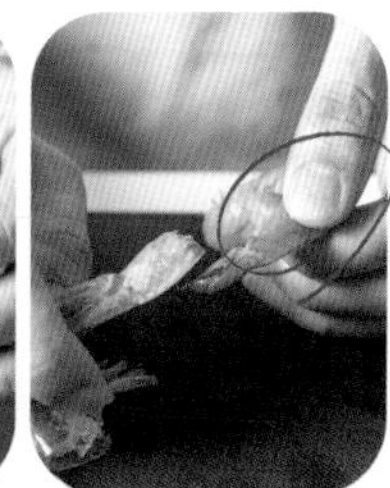

3 衣をつける

ボウルにⒶを入れてよく混ぜ、下ごしらえしたエビをたっぷりくぐらせる。

4 揚げ焼きにする

小さめのフライパンに油を中火で熱し、エビを揚げ焼きにする。ペーパータオルに上げ、余分な油を切る。

5 マヨソースにつけて食べる

❶にカシューナッツを砕き入れ、❹をディップして食べる。

至高の照り焼きチキン

大事なのは味つけじゃない。
「焼き方」だ

材料（1～2人前）

- 鶏もも肉…300g
  常温に戻しておく

調味料

- 塩胡椒…少々
- 片栗粉…小さじ2
- Ⓐ醤油…大さじ1と1/2
  酒…大さじ1と1/2
  みりん…大さじ1と1/2
  砂糖…小さじ1と1/2
  味の素…3ふり

焼くとき

- サラダ油…小さじ1

皮目バリバリ。
タレはとろとろ。炭火で
焼いたかのような
香ばしされす

鶏肉を均一に伸ばす
鶏肉にラップをかけ、ビンで叩いて均一に伸ばす。両面に塩胡椒と片栗粉をまぶす。

皮に焼き目をつける
フライパンに油を熱し、鶏肉を皮目から、中火で押しつけながら焼く。焼き目がついたら余分な油をふきとり、裏返して弱火にする。

調味料を加える
よく混ぜたⒶを加え、時々肉の表面にタレをかけながら、とろみがつくまで煮詰める。

ムニエル風に焼いたら
皮までウマかった

至高のブリの照り焼き

材料（1人前）

- ブリ…2切れ（160g）

調味料

- 塩…1つまみ
- 薄力粉…適量
- Ⓐ醤油…大さじ1
  酒…大さじ1
  みりん…大さじ1
  砂糖…小さじ1と1/2
  味の素…2ふり

焼くとき

- サラダ油…小さじ1と1/2

仕上げ

- しょうが（千切り）…5g

ブリの下ごしらえ
ブリに塩をふり、薄力粉を薄くまぶす。

カリカリに焼く
フライパンに油を熱し、中火でブリの両面に焼き目をつける。

調味料を加える
合わせたⒶを加え、とろみがつくまで煮詰める。

世界で一番キャベツがウマい料理です
至高のホイコーロー
100
RYUJI'S SUPREME COOKING RECIPE

材料（1～2人前）

- 豚肩ロース薄切り肉（3等分）…250g
- ピーマン（縦に4つ切り）…3こ（120g）
- キャベツ（ざく切り）…1/4こ（200g）
- 長ねぎ（斜め切り）…1/2本（50g）
- にんにく（粗みじん）…1かけ

炒めるとき

- サラダ油（1回目）…大さじ1
- サラダ油（2回目）…大さじ1

調味料

- 塩…2つまみ
- 黒胡椒…好みで
- 片栗粉…小さじ4
- 豆板醤…大さじ1
- 甜麺醤…大さじ2
- Ⓐ酒…大さじ2
  醤油…小さじ2
  味の素…3ふり

とりあえず米三合は
炊いておいてほしい

1 肉の下ごしらえ

豚肉に塩と胡椒をふり、片栗粉をよーくもみ込む。

2 野菜を油でコーティングする

フライパンに油を熱し、ピーマンとキャベツを強火で軽くしなっとするまで2~3分炒める。一度取り出す。

3 肉を炒める

フライパンにもう一度油を熱し、豚肉を広げて入れ、中火で焼き目をつける。長ねぎとにんにくを加え、さらに炒める。

4 ぜんぶ合わせて炒める

香りが出てきたら、豆板醤を加えてサッと炒める。❷を戻し入れ、甜麺醤を加えて具材になじむように炒める。仕上げにⒶを入れて、混ぜ合わせる。

至高のエビチリ

ブリンブリンのエビがどうしても食べたいあなたへ

100
RYUJI's SUPREME COOKING RECIPE

材料も工程も多いけど、
がんばってください。
間違いなくウマいす

材料（1人前）

- バナメイエビ（殻つき）…10尾
- にんにく（みじん）…1かけ
- しょうが（みじん）…5g
- 長ねぎ（粗みじん）…1/4本

卵液

- 卵…2こ
- Ⓐ水…大さじ1
  塩胡椒…少々

調味料

- Ⓑ片栗粉…大さじ2弱
  酒…大さじ1
  塩胡椒…少々
- Ⓒ豆板醤…大さじ1
  ケチャップ…大さじ2
  中華調味料（ペースト）…小さじ1/4
  水…120cc
- Ⓓ砂糖…小さじ1
  酒…小さじ2
  塩胡椒…少々
- Ⓔ片栗粉…小さじ1と1/2
  水…大さじ1
- Ⓕサラダ油…小さじ1
  酢…小さじ1弱

炒めるとき

- サラダ油（1回目）…大さじ1
- サラダ油（2回目）…小さじ2
- サラダ油（3回目）…小さじ2

1 卵液を作る

ボウルに卵とⒶを入れて、よーく溶く。

2 エビの下ごしらえ

エビの殻をむいて背ワタをとる。別のボウルにエビ・❶の卵液大さじ1・Ⓑを加えて、よーくもみ込む。

3 半熟卵を作る

フライパンに油を熱し、残りの卵液を強めの中火でサッと炒める。半熟になったらすぐに取り出し、皿に盛る。

4 エビを焼く

空いたフライパンに油を熱し、❷を強めの中火で炒める。表面がゴールデンレトリバー色になったら一度取り出す。

5 ぜんぶ合わせて炒める

空いたフライパンに油を熱し、にんにくとしょうがを弱火で炒める。香りが出たらⒸを加えて煮立たせる。Ⓓと長ねぎを加え、エビを戻し入れる。合わせたⒺを加え、とろみがついたらⒻを回しかけて、サッと混ぜる。

至高の麻婆豆腐

はじめは甘くて、あとからガツンと辛いやつ

100
RYUJI'S SUPREME COOKING RECIPE

材料（2～3人前）

- 豚ひき肉…100g
- にんにく（みじん）…2かけ
- 絹ごし豆腐（さいの目切り）…300g
- 長ねぎ（みじん）…1/2本

炒めるとき

- サラダ油…大さじ1

調味料

- Ⓐ豆板醤…大さじ1
  甜麺醤…大さじ1
  ラー油…小さじ2
  辛いのが苦手な人はごま油で
- 水…200cc
- 中華調味料（ペースト）…小さじ1弱
- Ⓑ醤油…小さじ1と1/2
  酒…大さじ1
  胡椒…適量
- Ⓒ片栗粉…大さじ1
  水…大さじ2

仕上げ

- 塩…1つまみ
- ラー油…好みで
- 山椒…好みで

中国のお母さんには
一歩だけ劣る。
しかし日本では一番ウマい

ひき肉に焼き目をつける

フライパンに油を熱し、ひき肉を中火で炒め、両面にしっかり焼き目をつける。

肉みそを作る

火を弱め、にんにくを加える。香りが出てきたらⒶを順に加えてよく炒め、火を止める。（甜麺醤は焦げやすいので、豆板醤をある程度炒めてから入れる）

豆腐をゆでる

別のフライパンで豆腐を2分ゆでる。（食感がめちゃくちゃ良くなります）

肉みそと合わせる

❷に水を切った❸と分量の水を加えて、沸騰させる。中華調味料を溶かし入れ、長ねぎを加える。

ぜんぶ合わせてとろみをつける

弱めの中火にしてⒷを加え、合わせたⒸでとろみをつける。味をみて、足りなければ塩を加え、仕上げにラー油、山椒を回しかける。

至高のコロッケ

お肉屋さんに負けない味をコロ助に食べさせたい

材料（2人前）

- じゃがいも（ひと口大）…3こ（皮をむいて300g）
- 水…大さじ2と1/2
- 合いびき肉…80g
- たまねぎ（みじん）…小1/4こ（50g）

調味料

- 塩胡椒…少々
- バター…15g
- Ⓐ砂糖…大さじ1
  醤油…大さじ1と1/2
  味の素…5ふり

揚げるとき

- 薄力粉…適量
- 卵…1こ
- パン粉…適量
- サラダ油…底から1cm

仕上げ

- 中濃ソース…好みで

味変

- （好みで）辛子
- （好みで）タバスコ

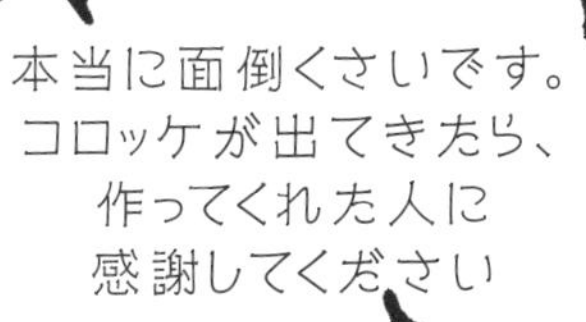

本当に面倒くさいです。
コロッケが出てきたら、
作ってくれた人に
感謝してください

1 じゃがいもをチンする

耐熱容器にじゃがいもと水を入れ、ふんわりとラップをしてレンジで6分30秒温める。

▼

2 甘辛ミンチを作る

フライパンにバターを熱し、ひき肉に塩胡椒をして、中火で炒める。肉の色が変わったらたまねぎを加え、さらに炒める。透き通ってきたらⒶを加え、水分がなくなるまで煮詰める。

▼

3 成形する

❶に❷を加え、じゃがいもをつぶしながら混ぜる。アルミバットに広げて粗熱をとる。4つに分けて、小判型にする。

▼

4 揚げ焼きにする

薄力粉→溶き卵→パン粉の順にまとわせる。小さめのフライパンに油を弱めの中火で熱し、サッと揚げ焼きする。（中身に火は通っているので色が変わればOK）

水を一滴も使わない 至高の肉じゃが

一度冷まして温めなおすと、味が染みます

材料
（2～3人前）

- 豚バラ薄切り肉（4等分）…250g
- Ⓐじゃがいも（ひと口大）…3こ（400g）
  にんじん（小さめ乱切り）…2本（300g）
  たまねぎ（薄切り）…1こ（250g）
  しらたき（ハサミで切る）…1袋（200g） ぬるま湯で洗って臭みを抜く
- しょうが（千切り）…15g

焼くとき

- ごま油…大さじ1と1/2

調味料

- 塩胡椒…少々
- Ⓑ砂糖…大さじ2
  醤油…大さじ4（60cc）
  白だし…大さじ2
  酒…大さじ6（90cc）

味変

- （好みで）辛子
- （好みで）タバスコ

1 豚肉に焼き目をつける

フライパンに油を熱し、塩胡椒をした豚肉を中火で炒める。

2 ほかの具材を加えて炒める

Ⓐを加えて、全体に油が回るまで数分炒める。

3 調味料を加える

しょうがとⒷを加え、フタをして弱めの中火で、時々混ぜながら25分煮込む。

至高の角煮

2時間で完璧な味を約束します

1 豚肉を下ゆでする

鍋に水と塩を入れて沸かす。適当な大きさに切った豚肉を入れ、フタをして弱めの中火で1時間煮込む。豚肉を取り出し、ゆで汁200ccもとっておく。

2 豚肉と卵を煮込む

空いた鍋にゆで卵を並べ、豚肉・ゆで汁200cc・Ⓐ・しょうがを加える。弱めの中火で、フタをせず水分が1/3くらいになるまで1時間煮込む。

材料（作りやすい分量）

- 豚バラブロック肉…600g
  脂身と赤身が半々くらいのもの
- しょうが（千切り）…20g
- ゆで卵（固ゆで）…4こ

ゆでるとき

- 水…1ℓ
- 塩…小さじ1弱

調味料

- Ⓐ水…200cc
  酒…150cc
  砂糖…大さじ5
  醤油…大さじ3
  白だし…小さじ4

味変

- （好みで）辛子

100
RYUJI'S SUPREME COOKING RECIPE

至高の餃子

小籠包よりもヤケド注意な肉汁爆弾

卵黄ダレ、
試してみてください。
生きる喜びです

材料（10こ分）

- 豚ひき肉…180g
- 牛脂（刻む）…1こ
- 白菜（みじん）…120g
- ニラ（小口切り）…1/2束（50g）
- しょうが（おろし）…5g
- 餃子の皮（大判）…10枚

調味料

- 塩…小さじ1/4
- Ⓐ粉ゼラチン…小さじ2
  肉汁のために絶対に入れて
  酒…大さじ1
  醤油…小さじ1
  オイスターソース…小さじ2
  ごま油…小さじ1と1/2
  中華調味料（ペースト）…小さじ1/2
  黒胡椒…好みで

焼くとき

- サラダ油…小さじ1と1/2
- Ⓑ水…70cc
  薄力粉…小さじ1
- ごま油…小さじ1と1/2

しょうゆタレ

- 醤油…大さじ1
- 酢…大さじ1
- 味の素…1ふり
- ラー油…好みで

卵黄タレ

- 卵黄…1こ分
- 味の素…1ふり
- 醤油…少々

あんを作る

ボウルに白菜を入れ、塩をふってよくもみ込む。出てきた水分は捨てずに、豚ひき肉・牛脂・ニラ・しょうが・Ⓐを加え、粘り気が出るまで混ぜる。

2 富士山型に包む

皮のフチを水で濡らし、あんを包む。（ひだは2ヶ所でOK）

カリッと焼く

小さめのフライパンに油を引いて、餃子の底を押しつけるように並べる。火をつけ、中火で焼き目をつける。

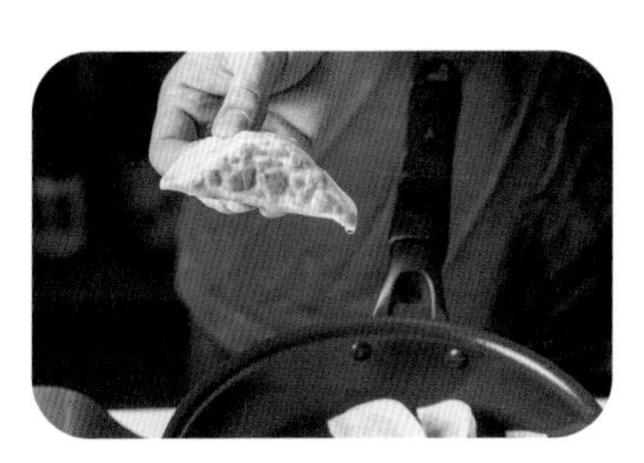

蒸して羽根を作る

合わせたⒷを回し入れ、フタをする。水分がほぼなくなるまで蒸したら、ごま油を全体に回しかける。羽根の端が色づいてきたらヘラではがし、フライパンをゆすりながら、端が茶色くなるまで焼く。

至高のミートボール

スパゲティ入れたらほら、カリオストロの城

100
RYUJI'S SUPREME COOKING RECIPE

材料（2～3人前）

ミートボール

- 合びき肉…350g
  たまねぎ（みじん）…1/2こ（120g）
  にんにく（おろし）…2かけ
  卵…1こ
  パン粉…15g
  顆粒コンソメ…小さじ1
  ナツメグ…小さじ1/4
  塩胡椒…少々

焼くとき

- オリーブ油…大さじ1と1/2

トマトソース

- Ⓐたまねぎ（みじん）…1/2こ（120g）
  にんにく（粗みじん）…2かけ
- 塩胡椒…少々
- Ⓑトマト缶（ホール）…1/2缶（200g）
  顆粒コンソメ…小さじ1

仕上げ

- オリーブ油…好みで

肉から出た脂が、
そのままを旨味たっぷりの
ソースになりやす

肉だねを作る

ボウルにミートボールの材料を入れて、粘り気が出るまでよく混ぜる。ピンポン玉より少し大きめに丸める。

肉に焼き目をつける

フライパンに油を熱し、❶を強めの中火で焼く。焼き目がついたら一度取り出す。

トマトソースを作る

空いたフライパンにⒶを入れ、塩胡椒をして中火で炒める。たまねぎが透き通ってきたらⒷを加え、酸味を感じず甘味が出るまで煮詰める。

ミートボールとソースを合わせる

水気が少なくなってきたら❷を戻し入れ、サッと絡める。仕上げにオリーブ油を回しかける。

トマトには日本酒

至高のチキントマト煮

材料（2～3人前）

- 鶏もも肉（2~3cm角）…350g
- ナス（乱切り）…3本（180g）
- たまねぎ（薄切り）…1/2こ（120g）
- にんにく（スライス）…3かけ
- トマト缶（ホール）…1缶（400g）

焼くとき

- オリーブ油…大さじ1と1/2
- 塩胡椒…少々
- 塩…1つまみ

煮込むとき

- Ⓐ顆粒コンソメ…大さじ1
  砂糖…小さじ2
  オレガノ…小さじ1弱
  酒…50cc
  ワインだと酸っぱくなる

仕上げ

- 塩…好みで
- 黒胡椒…好みで
- オリーブ油…好みで

1 鶏肉に焼き目をつける

フライパンに油を熱し、塩胡椒をした鶏肉を皮目から入れて中火で焼く。焼き目がついたら一度取り出す。

2 野菜を炒める

空いたフライパンににんにくを入れ、中火で香りが出るまで炒める。ナスとたまねぎを順に加えて塩をふり、しんなりするまで炒める。

3 トマト缶を加えて煮込む

肉を戻し入れ、トマト缶を加えてつぶしながら、強めの中火でひと煮立ちさせる。Ⓐを加え、フタをして強めの弱火で30分煮込む。味をみて、塩と黒胡椒で味をととのえ、オリーブ油を加えて全体を混ぜる。

残ったソースを
パスタに絡めて
皿まで舐めたい

100
RYUJI'S SUPREME COOKING RECIPE

至高のステーキ

外国産の肉をもっとも美味しくいただく方法

ウイスキーが香る
和風オニオンソースです

材料（1人前）

- 牛サーロインステーキ肉（1.5cm厚）…200g
  室温に戻しておく

付け合わせ

- じゃがいも（ひと口大）…1/2こ（75g）
- にんじん（乱切り）…1/3本（50g）
- ブロッコリー…3房
- 塩…2つまみ
- 水…少々
- オリーブ油…好みで

調味料

- 塩…好みで
- 黒胡椒…たっぷり

ソース

- Ⓐたまねぎ（おろし）…小1/4こ（50g）
  にんにく（おろし）…1かけ
  醤油…大さじ1と1/2
  みりん…大さじ1と1/2
  ウイスキー（デュワーズ）…大さじ1と1/2
  味の素…4ふり
- バター…10g

焼くとき

- 牛脂…1こ

仕上げ

- 黒胡椒…好みで

1 付け合わせを作る

耐熱容器にじゃがいもとにんじんを入れ、水と塩をふり、ラップをしてレンジで1分30秒温める。ブロッコリーを加え、もう一度1分温める。水気を切り、塩で味をととのえてオリーブ油と和える。（つまようじがスッと通ったらOK）

2 牛肉の下ごしらえ

赤身と脂身の境目にある筋を2cm間隔で両面とも切る。両面に塩と黒胡椒をふって下味をつける。

3 ソースを作る

小さめのフライパンに合わせたⒶを入れ、弱めの中火で温める。水気が飛んだらバターを加えて溶かし、火を止める。

4 牛肉を焼く

別のフライパンを強めの中火で熱し、牛脂を溶かす。肉を入れ、強火にして1分半焼き、裏返して1分焼く。（この時点では中はまだレア）

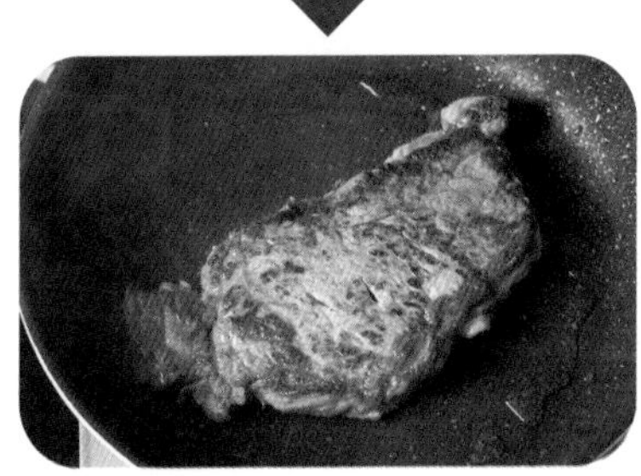

5 余熱で火を通す

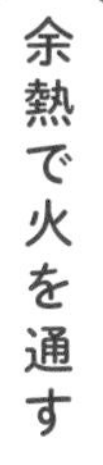

肉を取り出してアルミホイルで包み、その上からタオルでくるんで1～2分おく。その間に、❹のフライパンに❸のソースを移し、肉の旨みを溶かし込みながら温めなおす。

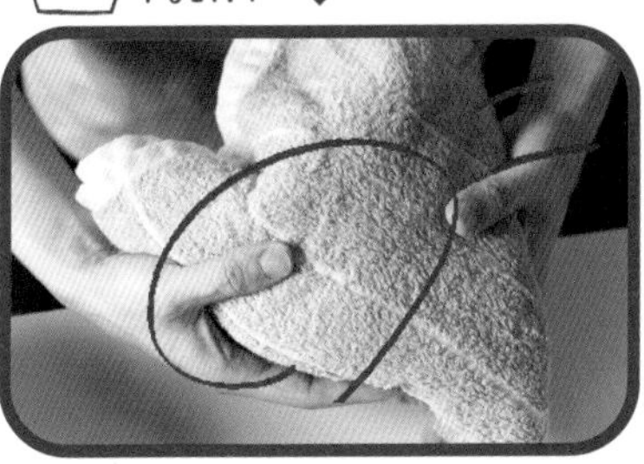

至高のみそ漬け豚

このみそに漬ければ
肉も魚もだいたいウマい

100
RYUJI'S SUPREME COOKING RECIPE

材料
(3人前)

- 豚肩ロース肉…3枚(1枚120g)

漬けみそ

- Ⓐにんにく(おろし)…1かけ
  砂糖…大さじ1
  酒…大さじ1
  みりん…大さじ1
  みそ…大さじ3
  味の素…3ふり

焼くとき

- ごま油…小さじ2~大さじ1

仕上げ

- かいわれ…好みで
- 七味…好みで

辛いのが好きな人は、
みそを減らして豆板醤を
混ぜてもウマい

みそダレを作る

ボウルにⒶを入れて、よーく混ぜ合わせる。

豚肉をみそに漬ける

P.53と同じように豚肉の筋を切る。❶を両面に塗り、常温で1時間漬ける。

豚肉を焼く

フライパンに油を熱し、(みそはつけたまま)❷に弱めの中火で焼き目をつける。裏返して2~3分焼く。

100
RYUJI'S SUPREME COOKING RECIPE

最高にごはんに合う
甘めの味つけを目指しました

至高の豚キムチ

材料
（1～2人前）

- 豚こま切れ肉…160g
  バラだと脂が多すぎる
- たまねぎ（1cm弱幅）
  …小1/4こ（50g）
- キムチ…160g
  国産のが甘くていい
- にんにく（おろし）…1/2かけ

焼くとき

- ごま油…大さじ1

調味料

- 塩…少々
- 薄力粉…小さじ4
- Ⓐ砂糖…小さじ1
  醤油…小さじ1
  酒…大さじ1

supreme pork kimchi.

1 豚肉の下ごしらえ
豚肉に塩をふり、薄力粉をまぶして、1枚1枚になじむようによーくもみ込む。

2 豚肉に焼き目をつける
フライパンに油を熱し、豚肉を中火で炒める。焼き目がついたら、たまねぎも加え、しんなりするまで炒める。

3 ぜんぶ合わせて炒める
キムチ・にんにく・Ⓐを加えて炒める。水分がなくなってきたら火を止める。

お湯でゆでるな！
水で洗うな！

至高の冷しゃぶ

材料（1～2人前）

- 豚ロース薄切り肉（2等分）…120g
- 豚バラ薄切り肉（2等分）…120g
  しゃぶしゃぶ用は薄すぎる
- レタス（ちぎる）…2枚

もみじおろし

- 大根（おろし）…6cm
- ラー油…小さじ2
  辛いのが苦手な人は半量をごま油に

ごまダレ

- Ⓐにんにく（おろし）…1/2かけ
  しょうが（おろし）…5g
  砂糖…大さじ1
  酢…大さじ1
  醤油…大さじ1と1/3
  ごま油…大さじ1と1/3
  ねりごま…大さじ2強
  味の素…2ふり

しゃぶしゃぶするとき

- 水…1ℓ
- Ⓑしょうが（おろし）…5g
  中華調味料（ペースト）…小さじ1と2/3

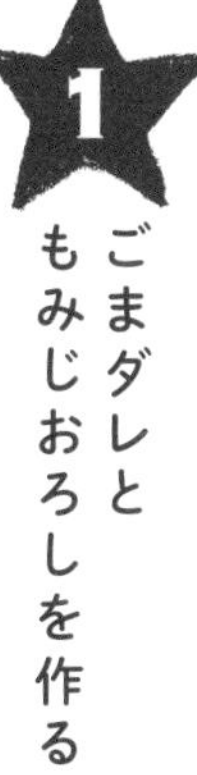

1 ごまダレともみじおろしを作る

Ⓐを混ぜて、ごまダレを作る。大根おろしにラー油を混ぜて、もみじおろしを作る。

2 中華スープでしゃぶしゃぶする

鍋にお湯を沸かし、Ⓑを加える。豚肉を1枚ずつ広げながら入れ、白くなったら（35秒ほど）すぐにアルミバットに引き上げて粗熱をとる。

3 冷凍庫で急冷する

ラップをかけて冷凍庫で10分冷やす。（流水にさらすと旨味がぜんぶ抜けちゃいます）

ごまダレは濃厚で
ごはんが進みます。
もみじおろしは市販の
ポン酢と合わせてどうぞ

テーブルに出すとクックドゥの
CMみたいな顔になります

至高のチンジャオロース

材料
(2～3人前)

- 豚こま切れ肉(細切り)
…250g
- たけのこ水煮(細切り)
…150g
- ピーマン(千切り)
…小5こ(120g)
- しょうが(千切り)
…10g
- にんにく(粗みじん)
…1かけ
- 卵…1こ

調味料

- Ⓐ片栗粉…小さじ5
酒…小さじ2
塩…2つまみ
黒胡椒…たっぷり
- Ⓑオイスターソース
…大さじ1と1/2
醤油…大さじ1
砂糖…小さじ2
味の素…6ふり

焼くとき

- サラダ油(1回目)
…大さじ1と1/2
- サラダ油(2回目)
…大さじ1と1/2

POINT

1 豚肉に卵をもみ込む

豚肉を重ねて細切りにする。ボウルに豚肉・卵・Ⓐを入れて、肉に卵がぜんぶ染み込むまでよーくもみ込む。

2 野菜だけ先に炒める

フライパンに油を熱し、タケノコを中火でサッと炒める。油が回ったらピーマンも加え、1分ほど炒めて一度取り出す。

3 豚肉を炒める

空いたフライパンにもう一度油を熱し、❶を広げて入れ、中火でほぐしながら炒める。

4 ぜんぶ合わせて炒める

肉に8割ほど火が通ったら、❷を戻し入れ、しょうがとにんにくを加えて弱火で炒める。香りが出たらⒷを加え、強火で炒めて汁気を飛ばす。

中華作るときは
油けちんないでください。
中華の技法「油通し」を家でも
できる方法で再現してます

至高の黒酢豚

級中華にしかない
メニュー、家で食えます

材料（1～2人前）

- 豚ロース肉…350g
- 卵…1こ
- 塩胡椒…少々
- 片栗粉…大さじ3

揚げるとき

- 片栗粉…適量
- サラダ油…底から1cm

タレ

- にんにく（粗みじん）…1かけ
- Ⓐ黒酢…大さじ3
  醤油…大さじ2
  砂糖…大さじ2
  みりん…小さじ1と1/2
  味の素…5ふり
- Ⓑ片栗粉…小さじ1/2
  水…大さじ1
  ゴマ油…小さじ1

炒めるとき

- サラダ油…小さじ1

仕上げ

- 長ねぎ…1/3本（40g）
  千切りにして水にさらしておく

肉の旨味と黒酢の香りを楽しむ、大人の酢豚です

1 豚肉の下ごしらえ

豚肉の片面に格子状に切り込みを入れ（右斜め→左斜めの順に包丁を入れる）、2cm幅に切る。

2 卵と片栗粉をもみ込む

ボウルに塩胡椒をした豚肉と卵を入れ、肉に卵がぜんぶ染み込むまでよーくもみ込む。片栗粉も加えてさらにもみ込む。

3 豚肉を揚げる

小さめのフライパンに油を熱し、❷の豚肉の表面に片栗粉をさらにまぶして中火で揚げる。金網に取り出して油を切る。

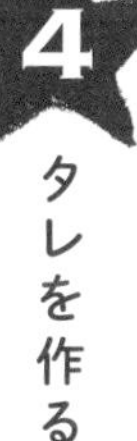

4 タレを作る

別のフライパンに油を熱し、にんにくを弱火で炒める。香りが出てきたらⒶを加え、中火で煮立たせる。合わせたⒷを加え、とろみをつける。

5 タレと豚肉を合わせる

❸を戻し入れ、サッと絡める。

YouTube動画一覧

チキン南蛮

生姜焼き

エビマヨ

照り焼き
チキン

ブリの
照り焼き

coming
soon

ホイコーロー

麻婆豆腐

コロッケ

肉じゃが

角煮

餃子

ミートボール

チキン
トマト煮

ステーキ

みそ漬け豚

豚キムチ

冷しゃぶ

チンジャオ
ロース

黒酢豚

前に「皮無しシューマイ」って料理がどう見ても肉団子だって話題になってましたけど、アレはいいと思うんですよね。味つけは焼売だし、なにより「皮無しシューマイ」のが作ってみたくなる。ペヤングとかどう見ても焼いてないけど、「カップソース和え麺」だったら売れなかった。料理に添える言葉は調味料なのです。

3

カンタンかつ メイン級 超・実用副菜

ボウルごと食べたくなるスパゲティサラダ、
炒める順番ひとつで美味しくなる野菜炒め。
なんでもない副菜がメインより先に皿から消える、
簡単かつ至高のレシピをお伝えします。

至高のコールスロー

材料（2人前）

- キャベツ（千切り）…1/4こ（200g）
- にんじん（千切り）…1/2本（50g）
- コーン缶（ホール）…1/2缶
- にんにく（おろし）…1/3かけ

調味料

- 塩…小さじ1/3
- Ⓐマヨネーズ…大さじ3
  レモン汁…小さじ1
  砂糖…小さじ1
  黒胡椒…たっぷり
  味の素…6ふり

仕上げ

- 黒胡椒…好みで
- パセリ…好みで

1 キャベツとにんじんの水気を絞る

ザルにキャベツ・にんじん・塩を入れてよーくもみ、数分おいて水気をよーく絞り切る。

2 ぜんぶ混ぜ合わせる

水気を切ったコーン・にんにく・Ⓐを加えてよく混ぜる。

春キャベツ一玉ぜんぶ
これにしても後悔しないと
思います

握力の限界まで、
とにかく水気を絞り切れ！

至高のマヨネーズ

たった3分
まろやかクリー

材料
（作りやすい分量）

- 卵…1こ
- にんにく（おろし）…ほんの少し（小指の先くらい）

調味料

- Ⓐ塩…小さじ1/2
  味の素…4ふり
  ホワイトペッパー…5ふり なければ黒胡椒
  レモン果汁…1/4こ分
  （レモン汁小さじ2）
- 米油…140cc

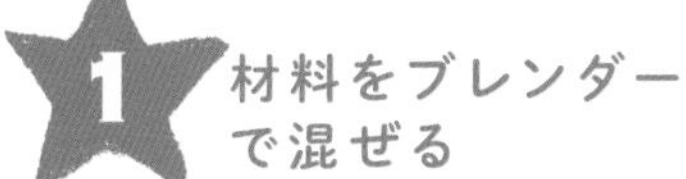

1 材料をブレンダーで混ぜる

大きめのボウルに卵・Ⓐ・にんにくを入れてブレンダーで混ぜる。（小さいボウルだと混ざらない）

2 材料をブレンダーで混ぜる

米油を糸を垂らすように少しずつ加えながら、ブレンダーで、ゆるめのカスタードクリームくらいになるまで混ぜる。

草食動物に知られたくない
くらいウマい

至高のドレッシングサラダ

材料（作りやすい分量）

ドレッシング

- Ⓐたまねぎ…35g
  にんじん…35g
  にんにく…1かけ（4g）
- 卵（Lサイズ）…1こ
- Ⓑすりごま
  …大さじ4（15g）
  醤油…55cc
  味の素…小さじ1弱
- 米油…210cc
  生食にむいてる油です
- ホワイトペッパー
  …好みで
  なければ黒胡椒

サラダ

- レタス…1/2こ
- しめじ…1パック

焼くとき

- オリーブ油…小さじ2
- 塩…1つまみ

1 野菜と卵をミキサーにかける

Ⓐを適当な大きさにカットして、ぶんぶんチョッパー（ミキサー）に入れる。卵を割り入れ、ドレッシング状になるまで混ぜる。

2 調味料を加えて混ぜる

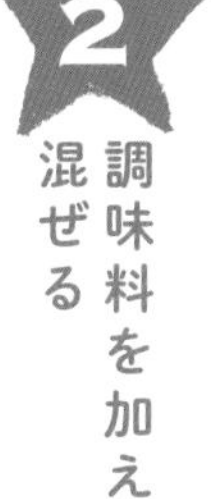

Ⓑを加えて、ぶんぶんチョッパーで混ぜる。（分離しないように）米油を少しずつ加えては混ぜる、を繰り返す。とろみがついたらホワイトペッパーを加えて混ぜる。（2の工程はボウルに入れてブレンダーでもOK）

3 サラダを作る

レタスはざく切りし、冷水に浸けておく。シャキッとしたら（できればサラダスピナーで）よーく水気を切る。しめじは油を熱したフライパンで、塩をふってサッと炒める。

冷蔵庫で数日は
保存できますが、
ウマすぎるので
すぐなくなります

至高のスパゲティサラダ

粒マスタードと和からしの和洋折衷

100
RYUJI'S SUPREME COOKING RECIPE

副菜って言ってごめん。
これはメインです

材料（2人前）

- Ⓐきゅうり（輪切り）
  …1/2本（40g）
  たまねぎ（薄切り）
  …小1/4こ（50g）
- ベーコン（千切り）
  …40g
- パスタ（1.4mm）
  …100g
- 卵…1こ

調味料

- 塩…2つまみ
- 黒胡椒…たっぷり
- Ⓑマヨネーズ
  …大さじ3
  ケチャップ
  …小さじ1と1/2
  顆粒コンソメ
  …小さじ2/3
  粒マスタード
  …小さじ1
  和からし…3cm
  どっちも絶対入れて

ゆでるとき

- 水…1ℓ
- 塩…10g

仕上げ

- 黒胡椒…好みで
- パセリ…好みで

味変

- （好みで）酢
- （好みで）タバスコ

1 野菜の水気を絞る

ボウルにⒶを入れ、塩をふってよく混ぜ、数分おいてよーく水気を絞り切る。

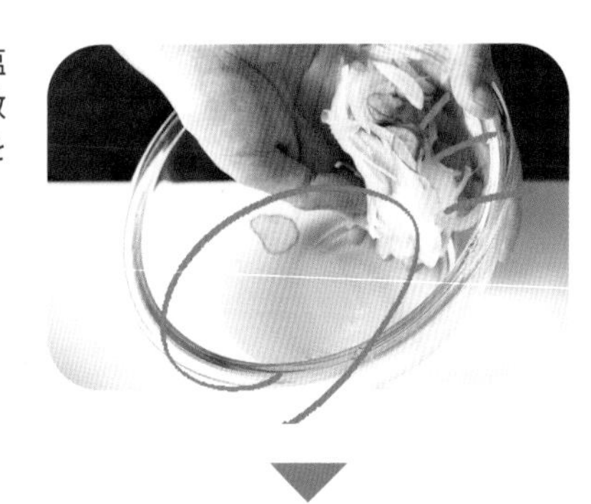

2 ベーコンを炒める

フライパンにベーコンを入れ、焼き目をつける。❶に加え、黒胡椒をふる。

POINT

3 パスタと卵を同時にゆでる

鍋に塩水を沸かし、パスタを半分に折ってゆでる。ゆで上がりの2分30秒前に卵を割り入れ、半熟のポーチドエッグを作る。卵は❷のボウルに取り出し、パスタはザルにあけて水気をよーく切る。（別でゆで卵を作ってもOK）

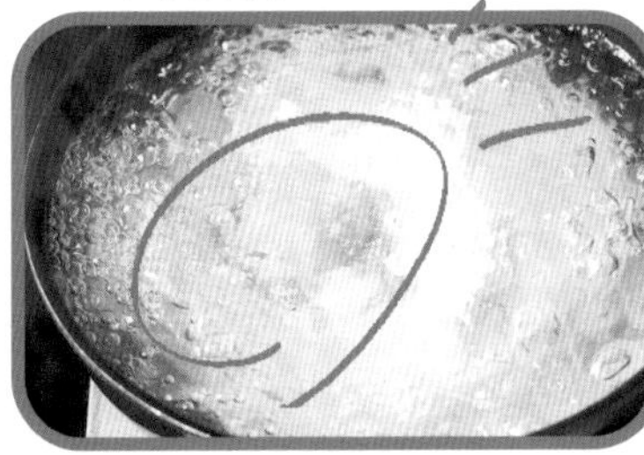

4 ぜんぶ混ぜ合わせる

熱いうちにパスタを加え、Ⓑも加えてよく和える。（パスタは熱いうちに混ぜてもマヨネーズが分離しません）

至高のかぼちゃサラダ

ベーコンエッグとかぼちゃを混ぜる

材料
（2人前）

- かぼちゃ…1/4こ（皮をむかずに300g）
- ベーコン（細切り）…40g
- たまねぎ（薄切り）…1/4こ（60g）
- にんにく（おろし）…1/2かけ
- 卵…2こ

炒めるとき

- バター…10g

調味料

- Ⓐマヨネーズ…大さじ3
  酢…小さじ1
  黒胡椒…好みで
  塩…小さじ1/3
  味の素…7ふり

このやり方が一番ラクす

1 かぼちゃをチンする

ラップでくるみ、レンジで5分温める。（めくるときはヤケド注意）

2 ベーコンエッグを作る

フライパンにバターを熱し、ベーコンを中火でカリッと炒める。卵を割り入れ、たまねぎを加えてフタをし、固めの目玉焼きにする。

3 ぜんぶ混ぜ合わせる

❶をつぶして粗熱をとり、❷を加えて混ぜ、5~10分ほど冷蔵庫で冷やす。にんにくとⒶを加え、さらに混ぜる。

至高のナスの焼き浸し

喉ごし、とろんとろん

材料（2人前）

- ナス…3本（240g）
- しょうが（千切り）…5g

焼くとき

- サラダ油…大さじ2

調味料

- Ⓐ水…160cc
  醤油…大さじ1
  白だし…大さじ1
  酒…大さじ1
  みりん…大さじ3

1 ナスの下ごしらえ

ヘタを切り落として縦半分に切り、格子状の切り目を入れる。（右斜め→左斜めの順に包丁を入れる）

2 焼き目をつける

小さめのフライパンに油としょうがを入れ、中火で熱する。シュワシュワ音を立てはじめたら弱めの中火にし、❶を皮目から入れて3分焼きつける。裏返して2~3分焼く。

3 調味料を加える

Ⓐを加え、強火で煮立たせたら弱めの中火にして、6~7分煮る。（水分が足りなくなったら少し水を足す）火を止めてフタをし、5分蒸らす。

至高のきんぴら

粉チーズという、驚愕の食べ方

材料（2〜3人前）

- ごぼう（千切り）…150g
- にんじん（千切り）…150g

焼くとき

- サラダ油…大さじ1
  香りのない油の方がいい

調味料

- 塩…1つまみ
- Ⓐ砂糖…小さじ1と1/2
  醤油…大さじ1
  白だし…大さじ1
  酒…大さじ1と1/2
  みりん…大さじ1と1/2
  鷹の爪（輪切り）…1本
- 白ごま…大さじ1と1/2

仕上げ

- 粉チーズ…好みで
  どうぞだまされて試して

1 野菜を切る

ごぼうは皮を削ぎすぎると香りが立ちにくいので、丸めたアルミ箔でざっとこするくらいでOK。

2 野菜を炒める

フライパンに油を熱し、ごぼうとにんじんを入れ、塩をふって中火でしんなりするまで炒める。

3 調味料を加えて煮詰める

Ⓐを加えて炒め、水気がなくなってきたら火を弱めて、白ごまをふる。（2本の指でひねりこすらせながらふると、ごまの香りが立ちます）

ごま油を使わずに、
ごぼうの香りそのものを
楽しんでくらはい

限界まで加えた水分、
もはや茶碗蒸し

至高の
だし巻き卵

材料（1人前）

- 卵（Lサイズ）…2こ

調味料

- Ⓐ水…50cc
  白だし…大さじ1
  砂糖…1つまみ
  （好みで）塩
  …1つまみ

焼くとき

- サラダ油
  …小さじ1と1/2

仕上げ

- （好みで）大葉
- （好みで）大根おろし

油の量はね、
気にしないでください。
それが上手に焼くコツです

1 卵液を作る

ボウルに卵を割り入れ、8～9割（白身が少し残ってるな、くらいまで）溶く。Ⓐを加え、よく混ぜる。

2 卵を焼く

たまご焼き器に油を中火で熱し、卵液を全体に広がるくらいだけ流し入れる。固まったら奥から手前に向かって巻いていく。

3 油を足しながら巻いていく

4～5回に分けて卵液をできるだけ薄く流し入れ、巻いていく。油が足りなくなったら、その都度少し足す（分量外）。

4 ラップに包んで形をととのえる

ラップの上に取り出して、包んで形をととのえる。

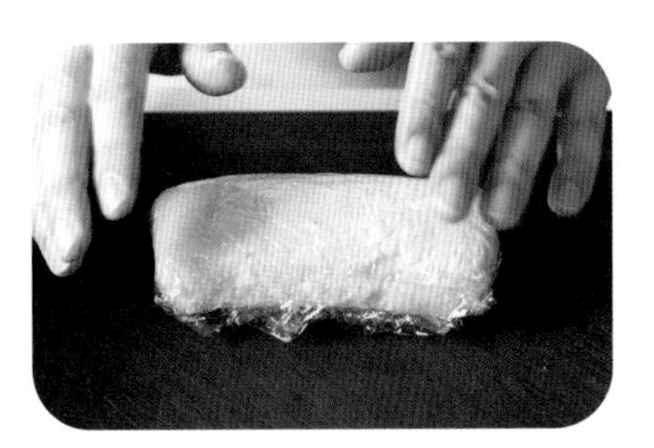

ごはんもお酒も◎最強の常備食

至高のなめたけ

山椒を加えると、
ベロベロ注意報です

材料（作りやすい分量）

- えのきだけ（3等分）…1袋（200g）
- 塩昆布…10g
  旨味が違うから絶対入れて

調味料

- Ⓐ砂糖…小さじ2
  醤油…大さじ2と1/2
  酒…大さじ2
  みりん…大さじ2
- 酢…大さじ1

味変

- （好みで）山椒

1 材料を煮詰める

フライパンにほぐしたえのき・Ⓐ・塩昆布を入れて、中火で炒めながら煮詰める。とろみがついて、水気が少なくなったら火を弱め、酢を加えてサッとなじませる。

至高のナムル

あとひと味は、これだったのか！

材料
（作りやすい分量）

- もやし…1袋（200g）

調味料

- Ⓐ塩…小さじ1/3
  砂糖…小さじ1/3
  ごま油…小さじ2
  ナンプラー…小さじ1/3
  おいしいから絶対入れて
  味の素…6ふり

仕上げ

- （好みで）白ごま

同じやり方で
ほうれんそうの
ナムルも作れやす

1 もやしをチンする
ラップをしてレンジで2分40秒温める。

2 冷やして水気を絞る
流水で冷やし、よーく水気を絞り切る。

3 ぜんぶ混ぜ合わせる
Ⓐを加えてよーく混ぜ、ごまをふる。

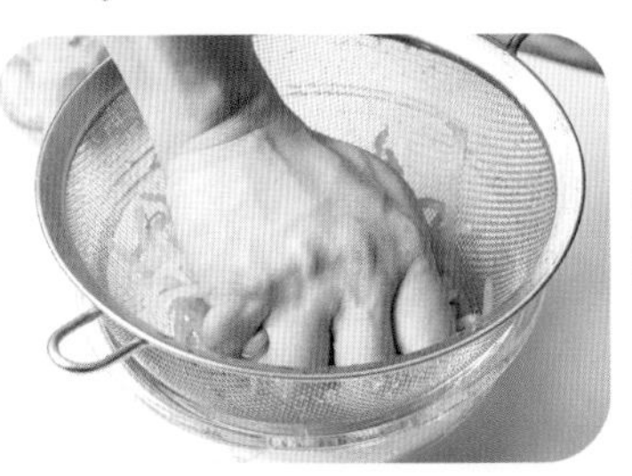

至高の野菜炒め

ただ順番に炒めるだけで、
野菜はここまでウマくなる

材料（1～2人前）

- にんじん（千切り）…1/4本（50g）
- ピーマン（千切り）…1こ（50g）
  種も一緒に炒める
- キャベツ（ざく切り）…1/8こ（100g）
- もやし…1/2袋（100g）

炒めるとき

- サラダ油…大さじ1と1/2

調味料

- Ⓐ塩…小さじ1/3
  味の素…5ふり

仕上げ

- 黒胡椒…好みで

1 にんじんとピーマンを炒める

フライパンに油を強めの中火でしっかり熱し、油がサラッとしてきたら、にんじん→ピーマンの順に炒める。

2 キャベツを加える

ピーマンがしんなりしたらキャベツを加え、全体に油が回ったらⒶをふり、しんなりするまで1分30秒ほど炒める。

3 もやしを加える

もやしを加えたら1分弱ほどサッと炒め、黒胡椒をふる。

「野菜って美味しいんだ」
って初めて思うかもしれん

至高の

苦くない魔法のひと手間、教えます

ゴーヤチャンプル

材料（2人前）

- 豚バラ薄切り肉（2~3cm幅）…150g
- ゴーヤ（極薄切り）…1本（200g）
- 卵…2こ
- 木綿豆腐…150g
- かつおぶし…4g

調味料

- （ゴーヤをもむとき）塩…小さじ1/2
- （卵に加える）白だし…小さじ1
- 塩胡椒…少々
- Ⓐ白だし…小さじ2
  醤油…小さじ1と1/2
- 黒胡椒…たっぷり

炒めるとき

- サラダ油（1回目）…大さじ1
- サラダ油（2回目）…小さじ2

仕上げ

- かつおぶし…好みで

味変

- （好みで）ラー油

ゴーヤ嫌いの
料理研究家でも
美味しく食べれやした

ゴーヤの水気を絞る

ゴーヤに塩をもみ込み、数分おいて水気をしっかり絞り切る。フライパンにお湯を沸かし、ゴーヤを1分ゆで、ザルにあける。流水にさらし、もう一度水気を軽く絞る。

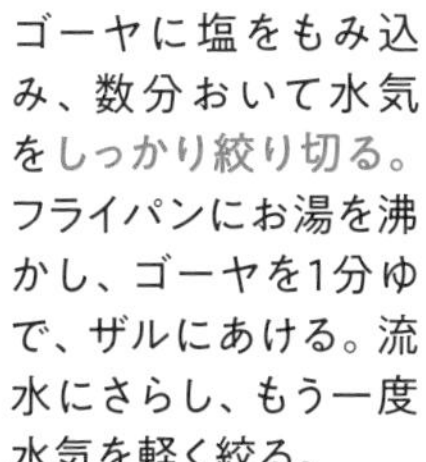

POINT

半熟卵を作る

ボウルに卵を割り入れ、白だしを加えてよく溶く。フライパンに油を熱し、卵液を中火で炒め、半熟になったら一度取り出す。

材料を炒める

空いたフライパンに油を熱し、豆腐を大きめにちぎって入れる。焼き目がついたら塩胡椒した豚肉を加える。肉の色が変わったら❶を入れ、Ⓐとかつおぶしを加え、サッと炒めて火を止める。

卵を合わせる

❷の卵を戻し入れて混ぜ、黒胡椒をふる。

レンチンでこそ
たどり着ける
極上のしっとり感

至高のバンバンジー

材料（2～3人前）

- きゅうり（千切り）…1本
- トマト（薄切り）…1/2～1こ

蒸し鶏

- 鶏もも肉…320g
  常温に戻しておく
- 長ねぎの青い部分
- しょうが（千切り）…5g
- 塩…小さじ1/3

タレ

- Ⓐ長ねぎの白い部分（みじん）…1/4本（5cm）
  しょうが（みじん）…3g
  にんにく（みじん）…3g
  砂糖…小さじ4
  酢…小さじ2
  味の素…3ふり
- Ⓑ醤油…大さじ2
  ねりごま…大さじ2
  ごま油…小さじ1

仕上げ

- ラー油…好みで

1 鶏肉をチンする

耐熱容器に鶏肉を入れ、塩をふってもみ込む。長ねぎの青い部分・しょうがを加え、ラップをしてレンジで3分30秒温める。庫内に5分おいて余熱で火を通す。

2 タレを作る

ボウルにⒶを入れ、砂糖が溶けるまで混ぜる。Ⓑ、❶の蒸し汁スプーン1杯分を加え、さらに混ぜる。冷蔵庫で冷やす。

3 鶏肉を冷やす

❶を薄切りにし、アルミバットに並べて冷凍庫で10分冷やす。皿に鶏肉、きゅうり、トマトを盛り付け、❷のタレをかける。

まだ鶏肉
ゆでてるんですか？

至高のニラ玉

究極のトロトロ
半熟を実現する方法

材料（1～2人前）

- 卵…4こ
  常温に戻しておく
- ニラ…1/2束（50g）

調味料

- Ⓐ 塩…小さじ1/3
  味の素…7ふり
  黒胡椒…少々

炒めるとき

- サラダ油（1回目）…大さじ1
- サラダ油（2回目）…大さじ2

味変

- （好みで）ラー油

1 卵液を作る

ボウルに卵を割り入れ、Ⓐを加えてよーく混ぜる。

2 ニラを切る

ニラは根元の厚みのある部分を小口切りに、葉は3～4cmに切る。

3 ニラを炒めて卵液に浸す

中華鍋（なければ小さめのフライパン）に油を強火で高温に熱し、❷を30秒ほど炒める。❶に入れる。

4 卵液を半熟に炒める

空いた中華鍋をサッとふいて、油をもう一度強火で高温に熱し、❸を入れる。卵がフワッと半熟になるので、そこから十数秒ほど鍋底からサッとかき混ぜる。

小さめのフライパンでもできますが、高温でテフロンが死にます

100
RYUJI'S SUPREME COOKING RECIPE

ツナ缶とだしの旨味で
にんじんを食らう

至高のりしりり

材料（2人前）

- 卵…1こ
- にんじん（千切り）…1本（160g）
  あればしりしり器で切る
- ツナ缶（まぐろ油漬け）
  …1/2缶（35g）

調味料

- Ⓐ白だし…小さじ1/2
  水…大さじ1
- Ⓑ白だし…小さじ2
  醤油…小さじ1
  酒…小さじ1

炒めるとき

- サラダ油（1回目）
  …小さじ1と1/2
- ごま油（2回目）…小さじ2

仕上げ

- 黒胡椒…好みで
- 白ごま…好みで

絶対に1本余る
にんじんはこれで
消費してください

半熟卵を作る
卵とⒶを軽く溶く。フライパンに油を熱し、中火で半熟に炒めて一度取り出す。

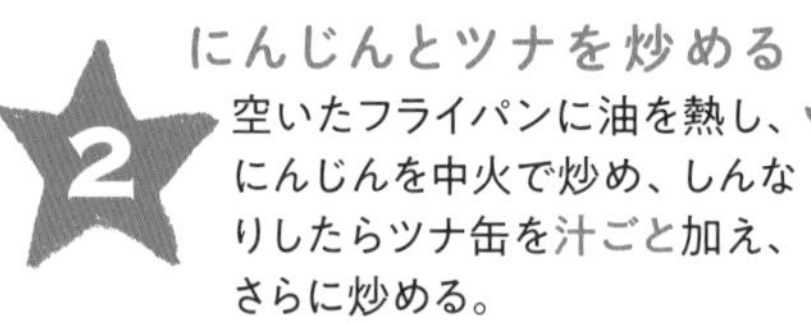

にんじんとツナを炒める
空いたフライパンに油を熱し、にんじんを中火で炒め、しんなりしたらツナ缶を汁ごと加え、さらに炒める。

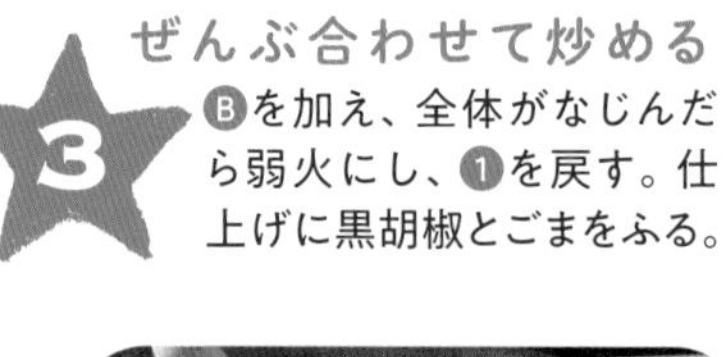

ぜんぶ合わせて炒める
Ⓑを加え、全体がなじんだら弱火にし、❶を戻す。仕上げに黒胡椒とごまをふる。

100
RYUJI'S SUPREME COOKING RECIPE

青い野菜で、これほど
ごはんが進むとは……！

至高の青菜炒め

シンプルですが
塩加減と水分量が難しい。
これを美味しく作れる人は
料理上手です

材料
（2人前）

- 小松菜…1束（230g）
- にんにく（粗みじん）…2かけ
- 鷹の爪（輪切り）…1本

調味料

- Ⓐ砂糖…小さじ1/2
  中華調味料（ペースト）…小さじ1弱
  片栗粉…小さじ1/3
  酒…大さじ1
  水…大さじ2
  味の素…4ふり

炒めるとき

- サラダ油…大さじ1と1/2
- 水…大さじ2

仕上げ

- ごま油…少々
- 黒胡椒…少々
- 塩…少々

1 小松菜を水に漬ける

小松菜は葉と茎をそれぞれ3～4cmに切り分け、水に15～20分浸けて、えぐ味を抜く。よく水気を切る。

2 茎→葉の順に炒める

フライパンに油を熱し、にんにくと鷹の爪を加え、強火でサッと炒める。小松菜の茎を入れ、しんなりしてきたら合わせたⒶと葉も加え、サッと炒める。

3 味をととのえる

葉が少ししんなりしたら水を加え、ごま油と胡椒で香りをつける。味をみて、味をととのえる。

根菜にまとわりつく
焼いた鶏の旨味

至高の筑前煮

100
RYUJI'S SUPREME
COOKING
RECIPE

材料（3～4人前）

- 鶏もも肉（ひと口大）…350g
- しいたけ（2等分）…100g
- レンコン（1cm幅の半月切り）…200g
- にんじん（小さめ乱切り）…1本（200g）
- こんにゃく（スプーンでちぎる）…1パック（250g）
  ぬるま湯で洗っておく
- 絹さや…10本 ヘタと筋をとる

調味料

- 塩…少々
- 薄力粉…大さじ1
- Ⓐ酒…100cc
  醤油…大さじ3
  白だし…大さじ1と1/2
  みりん…大さじ6
  砂糖…大さじ1

炒めるとき

- サラダ油…小さじ1と1/2
- ごま油…大さじ1

1 鶏肉の下ごしらえ

鶏肉に塩をふり、薄力粉をまぶす。

2 鶏肉に焼き目をつける

フライパンにサラダ油とごま油を熱し、❶を中火で焼き目がつくまでしっかり炒める。

3 絹さや以外の具材を炒める

絹さや以外の具材を加え、全体に油が回るまで炒める。

4 調味料を加えて煮込む

Ⓐを加え、フタをして強めの弱火で30分煮込む。仕上げに、サッとゆでた絹さやを散らす。

編集さんの息子(6歳)が、人生で初めて根菜をバクバク食べたそうです

YouTube動画一覧

コールスロー

マヨネーズ

ドレッシング
サラダ

スパゲティ
サラダ

かぼちゃ
サラダ

ナスの
煮浸し

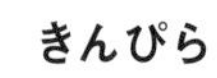
きんぴら

だし巻き卵

なめたけ

ナムル

野菜炒め

ゴーヤー
チャンプル

バンバンジー

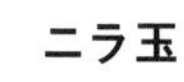
ニラ玉

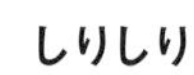
しりしり

青菜炒め

筑前煮

これは料理研究家からのお願いなんですが、どうしても料理を作りたくないときはスーパーの惣菜を頼ってください。そして食べる人も許容してあげてください。無理に料理をしてしまうと料理が嫌いになる。料理は一度嫌いになると最後、1日に3回も苦しむことになる。どうか作り手にもやさしい食卓を。

4

ぼくのかんがえたさいきょうのオムライス・丼・カレー・チャーハン

包まないオムライス、煮込まない牛丼。
特別なテクニックなんて必要ない、
スーパーの材料で作れる
最高の味を、ここに。

卵トントンの術は身につけなくても大丈夫です

至高のオムライス

100
RYUJI'S SUPREME COOKING RECIPE

材料（1人前）

- 鶏もも肉（1.5cm角）…80g
- たまねぎ（粗みじん）…小1/4こ（50g）
- マッシュルーム（1cm弱幅）…50g
- 温かいごはん…200g

調味料

- 塩胡椒…少々
- 顆粒コンソメ…小さじ1/2
- ケチャップ…大さじ3

炒めるとき

- バター…10g

卵ソース

- 卵…2こ
- 塩…1つまみ
- バター…5g

ソース

- Ⓐケチャップ…大さじ1と1/2
  ウスターソース…小さじ1/2

つまり、ホテル風
スクランブルエッグがけ
チキンライス

1 鶏肉とたまねぎを炒める

フライパンにバターを熱し、塩胡椒した鶏肉を中火で炒める。焼き目がついたらたまねぎを加え、コンソメをふり、たまねぎが透き通るまで炒める。

2 チキンライスを作る

マッシュルームとケチャップを順に加えて炒める。ケチャップが具材にしっかりまとわりついたら、ごはんを加えて混ぜ合わせる。

POINT

3 卵ソースを作る

大きめのフライパンにたっぷりのお湯を沸かし、小鍋を浮かべる。中火にし、バターを溶かして塩をふり、よーく溶いた卵を加える。ゴムベラで2～3分絶えず混ぜ、鍋底にヘラで線が引けるくらいトロトロになったらOK。

4 チキンライスに卵をかける

❷を温めなおして皿に盛り、❸をかけ、合わせたⒶをたらす。

すいません。至高の炒飯より
こっちのがウマい

至高のレタスチャーハン

100
RYUJI'S SUPREME COOKING RECIPE

材料（1人前）

- バナメイエビ（殻つき）…5尾
- レタスの柔らかい部分（ちぎる）…70g
- 卵（溶いておく）…2こ
- 温かいごはん…200g

調味料

- 塩胡椒…少々
- 片栗粉…適量
- 味の素…8ふり
- 塩…小さじ1/2
- オイスターソース…小さじ1と1/2
- 酒…大さじ1

炒めるとき

- サラダ油…大さじ2

仕上げ

- 黒胡椒…たっぷり
- 五香粉…1ふり
香りが違うからできれば入れて

器に盛るときは、
エビを底にして型をとると
かわいく盛れやす

1 エビの下ごしらえ

エビの殻をむき、背に切り込みを入れて背ワタをとる。塩胡椒して片栗粉をまぶす。殻は水気をふきとり、とっておく。

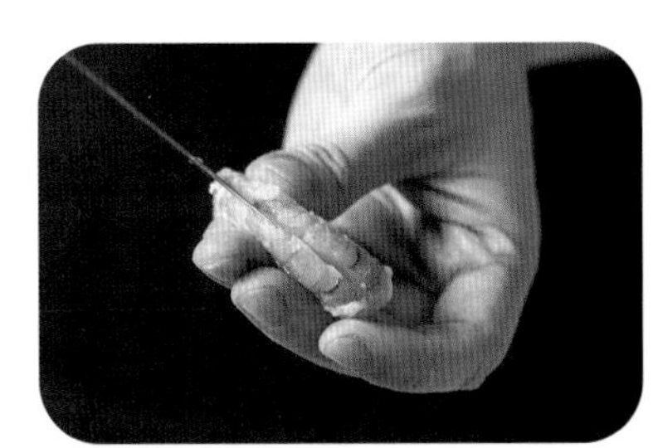

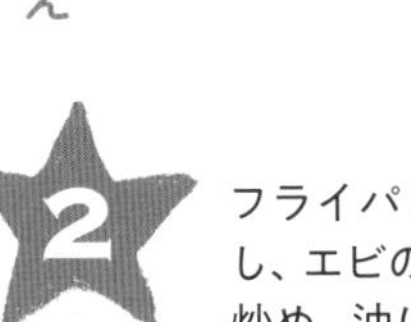

2 エビの殻を油で炒める

フライパンに油を熱し、エビの殻を中火で炒め、油に香りを移す。殻は取り出す。（塩かけて食べるとウマい）

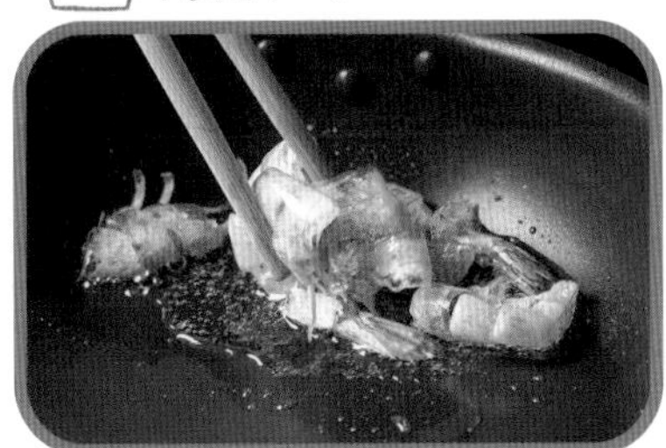

3 エビを軽く焼く

身を入れてサッと焼き、色が変わったら一度取り出す。

4 材料を炒める

空いたフライパンを強火で熱し、卵・ごはんを順に加えて炒める。軽くほぐれたら味の素と塩をふり、レタスを加えて❸を戻し入れる。オイスターソースを加え、サッと炒める。

5 味をととのえる

酒を加えて全体になじませたら、黒胡椒と五香粉をふり、混ぜ合わせる。

ひき肉のハヤシライス

ルウを使わずに
洋食屋さんの味を
再現しました

材料（3～4人前）

- 牛薄切り肉…350g
- たまねぎ（1cm幅の輪切り）…1こ
- マッシュルーム（厚めの薄切り）…1パック
- にんにく（おろし）…1かけ

調味料

- 塩胡椒…少々
- 薄力粉…大さじ1
- 塩（❷に入れる）…少々

炒めるとき

- バター…30g

ハヤシソース

- 薄力粉…大さじ2と1/2
- ケチャップ…大さじ6
- 赤ワイン（甘口）…200cc
- Ⓐウスターソース…大さじ3
  顆粒コンソメ…大さじ1
  水…400cc

仕上げ

- （あれば）生クリーム…好みで

輪切りたまねぎの感動がヤバい。「あ、こいつちゃんと料理できるんだ…」ってなります

1 牛肉に焼き目をつける

牛肉に塩胡椒をして、薄力粉をもみ込む。大きめのフライパンにバターを熱し、牛肉に強火で焼き目をつけて一度取り出す。

2 野菜を炒める

空いたフライパンにたまねぎをほぐし入れ、塩をふって中火で炒める。少ししんなりしたらマッシュルームを加えて炒める。

3 ハヤシソースを作る

薄力粉を加え、具材になじむまでよーく炒める。ケチャップも加え、具材にまとわりつくまでしっかり炒める。

POINT

4 赤ワインを加えて煮詰める

赤ワインを加え、強火で3分ほど、酸味を感じず甘味が出るまでよーく煮詰める。（この工程を飛ばすと酸っぱくなっちゃいます）

5 肉を戻して煮込む

❶の肉を戻し入れ、Ⓐとにんにくを加えて、強火でとろみがつくまで15分煮込む。仕上げに生クリームをかける。

至高のキーマカレー

スパイスカレー作ってみたかった
人は、これやってください

材料（3～4人前）

- 豚ひき肉…300g
- たまねぎ（みじん）…1/2こ（120g）
- じゃがいも（ひと口大）…200g
- Ⓐしょうが（みじん）…40g
  にんにく（みじん）…40g
- トマト缶（ホール）…1/2缶（200g）

調味料

- Ⓑカイエンペッパー…小さじ1/2
  辛さはカイエンペッパーの量で調整
  パプリカパウダー…大さじ1
  ターメリック…小さじ1
  塩…小さじ1と1/2
- 水…700cc

炒めるとき

- バター…30g

仕上げ

- ガラムマサラ…小さじ1

ガラムマサラは
香りが飛びやすいので
必ず最後に

1 しょうがとにんにくを炒める

フライパンにⒶとバターを入れ、強めの中火で柴犬色になるまで炒める。（焦げないように気をつけて）

2 具材と調味料を加えて炒める

たまねぎを加え、弱めの中火で炒める。透き通ってきたらトマト缶とⒷを加えて炒める。水分がなくなってきたら、じゃがいもとひき肉を順に加え、さらに炒める。

3 水を加えて煮込む

肉の色が変わったら水を注ぎ、中火で20分煮込む。とろみがついたら火を止める。（アクは旨味なので取らなくていいです）

POINT

4 ガラムマサラを加える

ガラムマサラを加え、じゃがいもの角を崩しながら混ぜる。

至高の卵かけごはん

TKG史上最高の
サプライズを贈ります

卵と醤油の香りを
生かすには、
味の素で旨味だけ足す

材料（1人前）

- 卵（Lサイズ）…1こ
- 熱々のごはん…150g

調味料

- Ⓐ味の素…3ふり
  オリーブ油（米油）…小さじ2
- 醤油…小さじ1と1/2〜小さじ2

1 ごはんを熱々にする

冷やごはんならレンジで1分20〜30秒、炊飯器で保温中のごはんなら20秒温めて、熱々ごはんにする。（熱くないと白身が半熟になりません）

2 ごはんと卵白を混ぜる

卵を卵白と卵黄に分ける。❶に卵白とⒶをかけ、ごはんの熱で卵白が半熟状になるまで、よくかき混ぜる。

3 卵黄をのせる

卵黄をのせて、醤油をかける。全体を混ぜながら食べる。

100
RYUJI'S SUPREME COOKING RECIPE

至高の牛丼

家の牛丼は煮込まない方がウマい

1 たまねぎを煮込む

鍋にⒶ・たまねぎ・しょうがを入れて、強火でひと煮立ちさせる。

2 牛肉と牛脂を加える

弱めの中火にし、たまねぎが透き通ってきたら牛肉と牛脂を加え、1～2分サッと煮る。肉の色が変わったら火を止める。

材料（1人前）

- 牛バラ薄切り肉（外国産）…120g
- 牛脂…1/2こ
  国産牛なら牛脂は不要
- たまねぎ（極薄切り）…小1/4こ（50g）
- しょうが（千切り）…5g

調味料

- Ⓐ醤油…大さじ1
  みりん…大さじ2
  赤ワイン…大さじ2
  白だし…大さじ1/2
  顆粒コンソメ…小さじ1/2
  砂糖…小さじ1/2
  水…大さじ2

トッピング

- 卵黄…1こ
- （好みで）紅しょうが
- （好みで）七味

魚介の白だしと
ビーフのコンソメ。
至高のWだしれす

至高の親子丼

卵は「二度入れ」、
鶏肉は「焼き」

材料（1人前）

- 鶏もも肉…1/2枚（150g）
- たまねぎ（薄切り）…1/8こ
- 卵…2こ
- 三つ葉（ざく切り）…好みで

焼くとき

- サラダ油…小さじ1

調味料

- Ⓐ水…大さじ2と1/2
  みりん…大さじ2
  しょうゆ…大さじ1
  白だし…大さじ1

仕上げ

- 七味…好みで

1 鶏肉に焼き目をつける

フライパンに油を熱し、鶏肉を皮目を下にして入れ、中火でよーく焼き目をつける。取り出して、ひと口大に切る。

2 たまねぎと鶏肉を煮込む

小鍋にⒶとたまねぎを入れ、強火で煮立たせる。たまねぎが少ししんなりしたら弱火にし、❶を加え、肉の色が変わるまで中火で煮る。

3 卵を1こだけ溶き入れる

卵1こを黄身と白身が混ざらない程度にごく軽く溶き、回し入れる。フタをして弱火で30秒ほど温め、半熟にする。

4 もう1この卵を溶き入れる

卵を同じように溶き、回し入れる。三つ葉をのせ、フタをして弱火で50秒ほど温め、白身が固まり切らないくらいで火を止める。

さらにもう1こ
卵黄を落としてもウマい

100

RYUJI'S SUPREME COOKING RECIPE

至高の豚丼

焦がしたまねぎ香るタレが、
ほろプルの豚肉を包む

材料（1人前）

- 豚バラブロック肉…200g
  赤身6:脂身4くらいのものがウマい
- たまねぎ（薄切り）…1/8こ（30g）

炒めるとき

- サラダ油…小さじ1

調味料

- Ⓐ砂糖…大さじ1と1/2
  酒…大さじ1
  醤油…大さじ3
  みりん…大さじ1
  味の素…4ふり

味変

- （好みで）花椒

豚肉をゆでる

鍋に豚肉とたっぷりの水（分量外）を入れて沸かし、フタをして弱火で1時間30分ゆでる。粗熱がとれたら1cm厚に切る。

たまねぎを焦がし炒める

フライパンに油を熱し、たまねぎを中火でチリチリになるまで炒める。

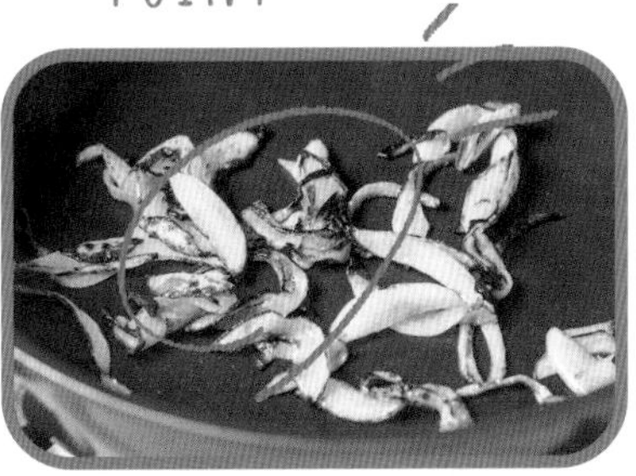

調味料を加えて煮詰める

❷にⒶを加え、とろみがつくまで煮詰める。

タレと豚肉を合わせる

❸に❶を加え、タレを絡めながら温める。

焼かずに煮ると、
箸で切れるほどに柔らかい

オイスターソースが
シーフードの旨味を引き出す

至高の中華丼

材料（1人前）

- 豚こま切れ肉（ひと口大）…50g
- 白菜（2cm幅）…100g
- にんじん（短冊切り）…20g
- 小松菜（2cm幅）…30g
- たけのこ水煮（短冊切り）…30g
- キクラゲ（2等分）…3g
  水で戻しておく
- うずらの卵（水煮）…3こ
- シーフードミックス…50g
  解凍しておく
- Ⓐしょうが（千切り）…3g
  にんにく（粗みじん）…3g

調味料

- 塩胡椒…少々
- Ⓑ砂糖…小さじ1/2
  中華調味料（ペースト）
  …小さじ1/2
  片栗粉…小さじ2
  醤油…小さじ2
  酒…小さじ2
  オイスターソース…小さじ2
  水…180cc

炒めるとき

- サラダ油…大さじ1

仕上げ

- ごま油…好みで

フライパンに油を熱し、Ⓐを入れて中火で炒める。香りが出たら豚肉を加えて炒める。

残りの具材を炒める

残りの具材を順に加え、塩胡椒をふって白菜がしんなりするまで炒める。

調味料を加えて煮詰める

全体のかさが減ったら、合わせたⒷを加えて一度煮立たせる。弱火にして、とろみがつくまで混ぜながら煮詰める。（水気が足りなければ水を加える）

下に敷くのは、
ごはんでも揚げ麺でも
中華麺でも
なんでもどうぞ。

100
RYUJI'S SUPREME COOKING RECIPE

至高の炊き込みごはん

日本酒100cc
から生まれる香り

材料（2合分）

- 鶏もも肉（細切れにする）…130g
- 油揚げ（細切りして2等分）…1枚
- にんじん（千切り）…40g
- ごぼう（千切り）…40g
- しいたけ（薄切り）…2こ
- しょうが（千切り）…10g
- 米…2合

調味料

- Ⓐ醤油…大さじ2
  白だし…大さじ2
  みりん…大さじ2
  酒…100cc
- 塩…好みで

味変

- （好みで）ゆずこしょう

5合炊きの
炊飯器で作れる量は
3合まで。それ以上は
生煮えになります。

1 炊飯器に米・調味料・水を入れる

炊飯器に米とⒶを入れてから、2合の線まで水（分量外）を注ぐ。

2 具材を加えて炊飯する

鶏肉を米の上にのせ、ほかの具材も加えて炊飯する。

3 混ぜて味をととのえる

炊き上がったら全体を混ぜ、塩で味をととのえる。

至高のとりめし

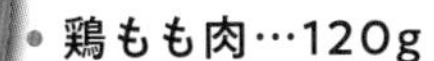

100

炊き込みいらずの
混ぜごはん

材料（1人前）

- 鶏もも肉…120g
- ごぼう（千切り）…50g
- にんにく（おろし）…1/2かけ
- 温かいごはん…200g

炒めるとき

- サラダ油…小さじ1

調味料

- Ⓐ砂糖…小さじ2と1/2
  醤油…小さじ4
  白だし…小さじ1
  酒…大さじ1

味変

- （好みで）山椒

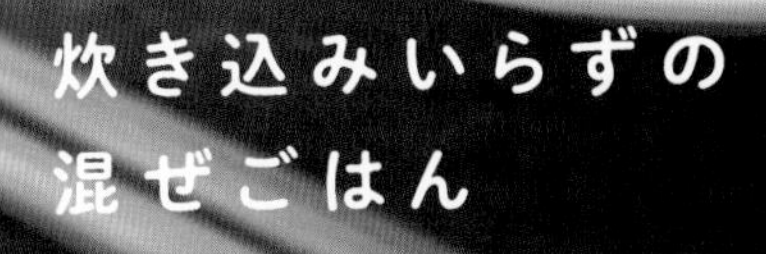

釜で大量に作る
大分県のとりめしを
最高に美味しくフライパンで
作る方法です

1 鶏肉の皮を炒める

鶏肉の皮をはがして細かく刻み、肉は1~2cm角に切る。フライパンに油を熱し、皮をカリッとするまで炒める。

2 ほかの具材と調味料を加えて炒める

肉を加え、色が変わるまで中火で炒める。ごぼうを加え、しんなりしてきたら火を弱め、Ⓐとにんにくを加えて煮詰める。

3 ごはんを混ぜ合わせる

水気が少なくなったら火を止め、ごはんを加えて混ぜ合わせる。

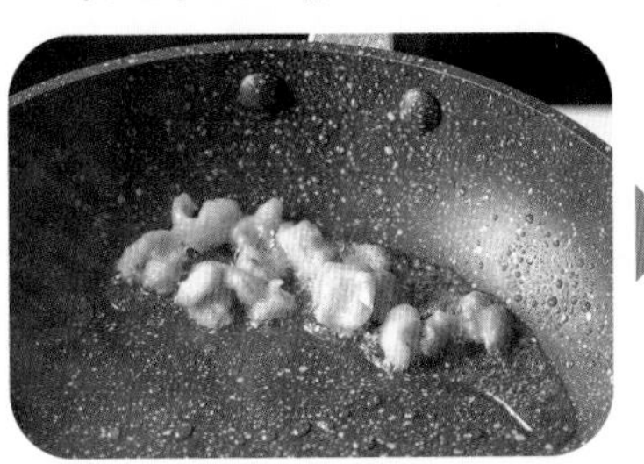

至高のガパオ

スーパーの食材だけで
タイ料理店の味

100
RYUJI'S SUPREME COOKING RECIPE

材料（1人前）

- 鶏もも肉（1cm弱の角切り）…120g
- にんにく（みじん）…1かけ
- Ⓐたまねぎ（ダイス状）…1/8こ（40～50g）
  赤パプリカ（ダイス状）…1/4こ（40～50g）
- 鷹の爪（輪切り）…2本
- バジル…3～5枚

炒めるとき

- サラダ油…大さじ1

調味料

- 塩胡椒…少々
- Ⓑナンプラー…小さじ1と1/2
  オイスターソース…小さじ1
  中華調味料（ペースト）…小さじ1/3
  黒胡椒…好みで

フライドエッグ

- 卵…1こ
- サラダ油…小さじ2～大さじ1

仕上げ

- バジル…好みで

肉は鶏ひき肉でも
豚薄切り肉でもウマい

1 鷹の爪を水で戻す

鷹の爪を水（分量外）に20分浸けて、柔らかくする。（口に入れたときの食感が全然違うのでやってください）

POINT

2 鶏肉に焼き目をつける

フライパンに油を熱し、塩胡椒した鶏肉を中火で炒める。

3 ほかの具材を加えて炒める

にんにくを加え、香りが出たらⒶを加えて炒め、しんなりしたら❶も加えてさらに炒める。（辛いのが苦手な人は、鷹の爪の種は入れない）

4 バジルと調味料を加える

Ⓑを加えて炒め、照りが出てきたら火を止める。バジルをちぎりながら加え、サッと全体を混ぜ合わせる。（火が入りすぎるとバジルの香りが飛びます）

5 フライドエッグを作る

別のフライパンに油を中火で熱し、油だまりに卵を割り入れて、カリカリの目玉焼きにする。

YouTube動画一覧

オムライス

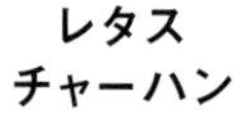

レタス
チャーハン

ハヤシライス

キーマカレー

牛丼

親子丼

豚丼

中華丼

炊き込み
ごはん

とりめし

ガパオ

ある漫画で、僕のことを書いてくれてるんですが、「おいしいでしょ、リュウジさんにありがとうしよう」というセリフに「俺はリュウジお兄さんじゃなくて作ってくれた妻にありがとうと言う」って言ってて、すごく素敵だと思いました。

5

35年かけて たどり着いた 常識を変える麺類

大量の粉チーズで作るカルボナーラ、
具材と麺を分ける焼きそば、
あの調味料で完成した明太子パスタ、
邪道にして、料理研究家の真骨頂!

スープでパスタごとゆでる
前代未聞の炎上レシピ

至高のペペロンチーノ

材料（1人前）

- にんにく（粗みじん）…2かけ
- 鷹の爪（輪切り）…1本
  水に20分浸けて柔らかくしておく
  辛いのが苦手なら少なめに
- パスタ（1.4mm）…100g

炒めるとき

- オリーブ油…大さじ1

調味料

- Ⓐ水…350cc
  顆粒コンソメ…小さじ1
  塩…1～2つまみ

仕上げ

- オリーブ油…大さじ1

味変

- （好みで）醤油

1 にんにくと鷹の爪を炒める

小さめのフライパンに油とにんにくを入れ、強火にかける。シュワシュワ音を立てはじめたら弱火にし、フライパンを傾けて油だまりを作り、柴犬色になるまで炒める。鷹の爪も加え、サッと炒める。

2 調味料を加える

Ⓐを加え、強火にして沸騰させる。

3 パスタを加えてスープを吸わせる

弱めの中火にし、パスタを加える。混ぜながら5分煮詰めて、スープをほぼぜんぶパスタに吸わせる。

4 オリーブ油を回しかける

水分量が写真くらいに減ったら、オリーブ油を回しかけ、火を止めてゆすりながら混ぜる。（汁気が多ければ強火で熱して飛ばす）味をみて、足りなければ塩を加える。

このやり方なら、
ほっといても絶対に乳化します。
お店のペペロンチーノ
みたいなとろみが出る。

こいつはソースじゃない、
肉料理だ

至高のボロネーゼ

材料（2人前）

- 合びき肉…250g
- ベーコン（みじん）…50g
- たまねぎ（みじん）…1/2こ
- にんにく（粗みじん）…2かけ
- トマト缶（ホール）…1/2缶（200g）
- パスタ（1.8mm）…200g
  太麺がウマい

炒めるとき

- オリーブ油…大さじ1

調味料

- 塩胡椒…少々
- 赤ワイン…200cc
- 塩…小さじ1/4
- 黒胡椒…思ってる2倍
- バター…10g
- 粉チーズ…大さじ2

ゆでるとき

- 水…1ℓ
- 塩…10g

仕上げ

- 粉チーズ…好みで

余ったソースはごはんにのせてチーズとチン。黒胡椒と醤油をかけたら「まかないボロネーゼ丼」

1 ひき肉を焼く

フライパンに油を熱し、塩胡椒したひき肉を塊のまま入れる。強めの中火でステーキを焼くようによーく両面に焼き目をつけ、軽くほぐす。

2 ほかの具材も加えて炒める

ベーコンを加え、脂が出てきたら端に寄せ、空いたスペースでにんにくを柴犬色になるまで炒める。たまねぎを加え、しんなりするまで炒めたら、全体を混ぜ合わせる。

3 赤ワインを煮詰める

赤ワインを加えて煮立たせ、汁気がほぼなくなるまで中火で煮詰める。

4 トマト缶を煮詰める

トマト缶を加え、つぶしながら混ぜる。塩と黒胡椒を加え、水気がなくなるまで煮詰める。パスタも同時にゆでておく。

5 パスタを絡めて味をととのえる

バター・粉チーズ・パスタ・ゆで汁大さじ2を加え、弱火にかけながらサッと混ぜ合わせる。

至高のカルボナーラ

大量の粉チーズでソースを作る、
キング・オブ・邪道

材料（1人前）

- ブロックベーコン（細切り）…40g
- にんにく（粗みじん）…1かけ
- 卵（Lサイズ）…1こ
- 粉チーズ（クラフト）…30g
- 鷹の爪（輪切り）…1本
  辛いのが苦手なら少なめに
- パスタ（1.7〜2mm）…100g
  太麺がウマい

炒めるとき

- オリーブ油…大さじ1

ゆでるとき

- 水…1ℓ
- 塩…10g

仕上げ

- オリーブ油…小さじ2
- 黒胡椒（ホール）…好みで
  なければあらびきでOK

1 卵ソースを作る

ボウルに卵と粉チーズを入れて、よく混ぜる。

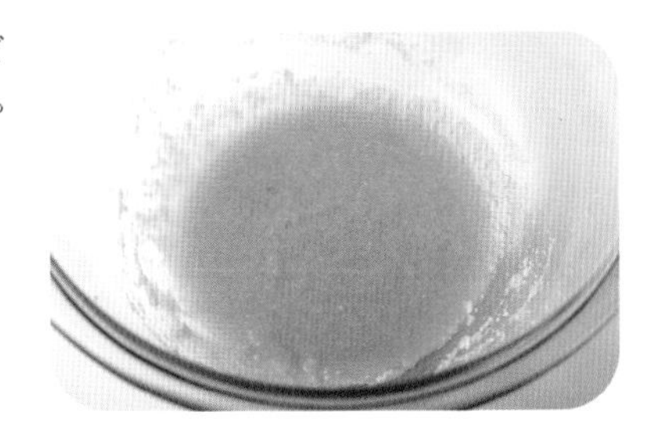

2 ベーコンを炒める

フライパンに油を熱し、にんにくを強火で炒める。シュワシュワ音を立てはじめたらベーコンを加え、中火で焼き色がつくまで炒める。鷹の爪も加えて炒め、火を止める。

3 ぜんぶ合わせて和える

パスタを表示より1分〜1分30秒くらい短めにゆでる。❷にパスタ・ゆで汁大さじ1・❶を加える。ごく弱火で絶えず鍋底から混ぜ、クリーム状になったら火を止める。（ソースが固ければゆで汁を足す）オリーブ油を回しかけ、黒胡椒を刻んでふりかける。

一発目でうまくいく人は少ないかもしれん。動画見て練習してください

至高のペペたま

すいませんカルボナーラ
超えちゃいました

材料（1人前）

- にんにく（粗みじん）…2かけ
- 鷹の爪（輪切り）…1本
  水に20分浸けておく
  辛いのが苦手なら少なめに
- パスタ（1.6mm）…100g
- バター…8g
- 卵…2こ よーく溶いて冷やしておく

炒めるとき

- オリーブ油…小さじ2

調味料

- Ⓐ水…300cc
  白だし…小さじ5

濃すぎるなと思う人は白だしを少なめにしてください

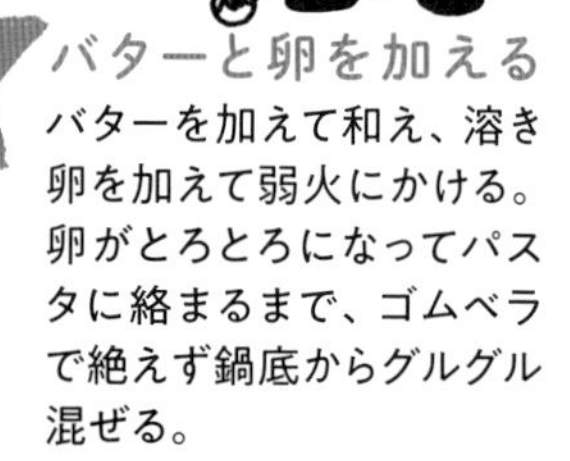

1 にんにくを炒める

小さめのフライパンに油とにんにくを入れ、弱火にかける。シュワシュワ音を立てはじめたら鷹の爪を加え、にんにくがほんの少し色づくまで炒める。

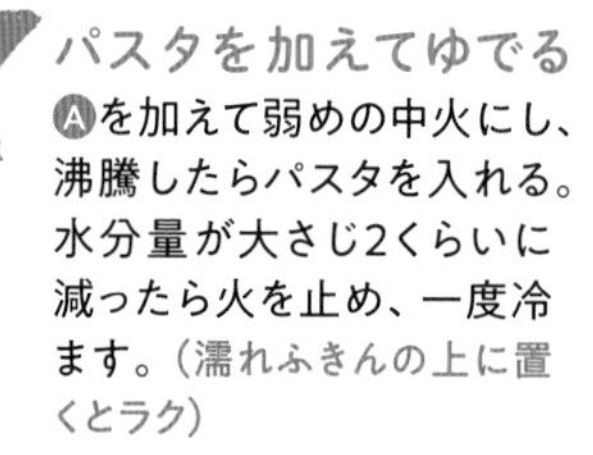

2 パスタを加えてゆでる

Ⓐを加えて弱めの中火にし、沸騰したらパスタを入れる。水分量が大さじ2くらいに減ったら火を止め、一度冷ます。（濡れふきんの上に置くとラク）

3 バターと卵を加える

バターを加えて和え、溶き卵を加えて弱火にかける。卵がとろとろになってパスタに絡まるまで、ゴムベラで絶えず鍋底からグルグル混ぜる。

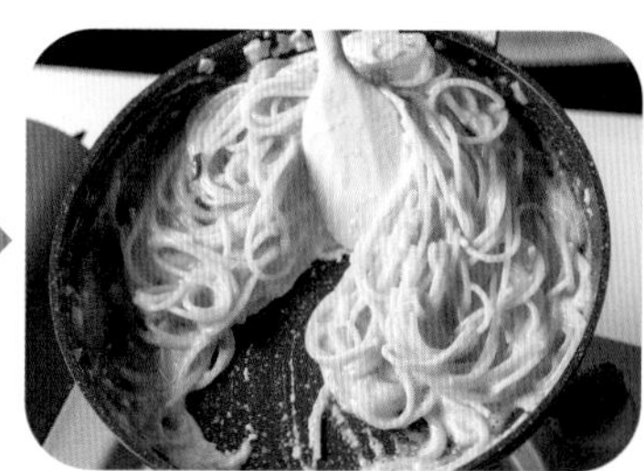

明太子パスタ

至高の明太子パスタ

決め手は昆布茶とレモン汁

RYUJI'S SUPREME COOKING RECIPE 100

材料（1人前）

- 明太子…30g
  皮からほぐした量
- パスタ（1.4mm）…100g

ガーリックオイル

- にんにく（細かくみじん）…1かけ
- オリーブ油…小さじ2

調味料

- Ⓐバター…20g
  昆布茶…小さじ1弱
  旨味が違うから絶対入れて
- レモン汁…小さじ1/2

ゆでるとき

- 水…1ℓ
- 塩…7g

仕上げ

- 大葉（千切り）…1枚
  水にさらしておく
- きざみ海苔…好みで
- レモン（輪切り）…1枚

バターは絶対
けちんないでください。
味の土台です

1 ガーリックオイルを作る

フライパンに油とにんにくを入れて弱めの中火にかけ、傾けた油だまりで柴犬色になるまで炒める。オイルはボウルに、ガーリックチップは小皿にとっておく。

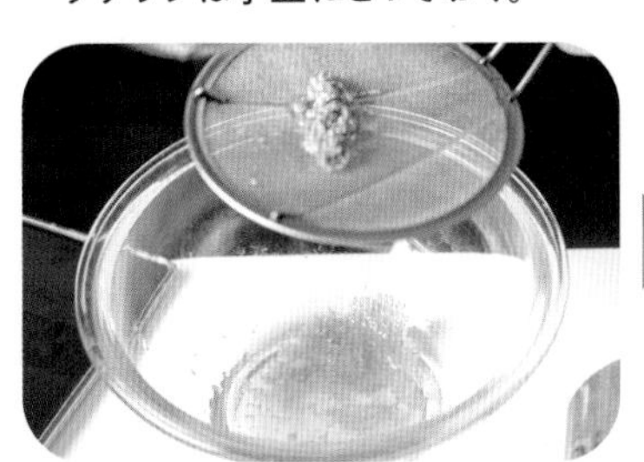

2 明太子ソースを作る

鍋でパスタをゆでる。❶のボウルに明太子とⒶを加え、底を鍋に浸して温めながら混ぜる。バターが溶けたら鍋から外し、レモン汁とゆで汁大さじ1を加える。

3 パスタとソースを和える

パスタがゆで上がったら水気を切り、ソースと和える。皿に盛り、大葉・海苔・レモン・ガーリックチップ・明太子ひと切れ（分量外）をのせる。

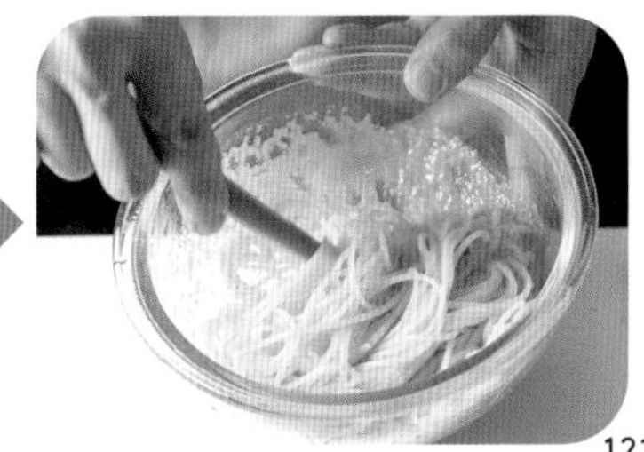

至高のトマトパス

酸味より甘味が勝つ、
日本人好みの味

材料（1人前）

- たまねぎ（薄切り）…小1/4こ（50g）
- にんにく（おろし）…2かけ
- にんにく（粗みじん）…2かけ
- トマト缶（ホール）…1/2缶（200g）
  ボウルに移してつぶしておく
- パスタ（1.6mm）…100g
  中太麺が合う

調味料

- Ⓐ顆粒コンソメ…小さじ1と1/2
  砂糖…小さじ1
  黒胡椒…思ってる2倍

炒めるとき

- オリーブ油…大さじ1

ゆでるとき

- 水…1ℓ
- 塩…10g

仕上げ

- オリーブ油…大さじ1

味変

- （好みで）オレガノ
- （好みで）粉チーズ

大好きなカプリチョーザの
トマトパスタをちょっと
アレンジして再現しやした

1 にんにく（おろし）をチンする

にんにく（おろし）にラップをして、レンジで30～40秒温めて香りを飛ばす。（緑色になるが気にしなくてOK）

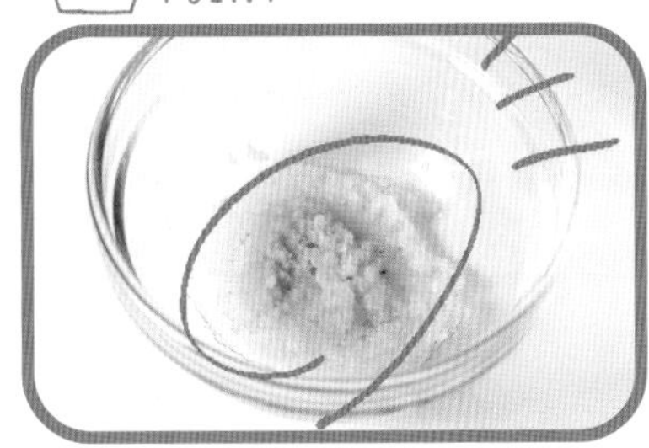

2 にんにく（みじん）とたまねぎを炒める

フライパンに油とにんにく（粗みじん）を入れて弱火にかけ、傾けた油だまりの中で柴犬色になるまで炒める。たまねぎを加え、しんなりするまで炒める。

3 トマト缶を煮詰める

つぶしたホールトマトを加え、❶とⒶを加えて5～8分ほど、鍋底に線が引けるくらいまで弱火で煮詰める。

4 パスタとソースを絡める

パスタをゆでて水気を切り、❸に加えて弱火でサッと絡める。（ソースが固ければゆで汁を足す）最後にオリーブ油を回しかける。

マッシュルームのポテンシャルを
最大限引き出した

至高のクリームパスタ

材料（1人前）

- ブロックベーコン（細切り）…40g
- マッシュルーム…1/2パック（75g）
- にんにく（つぶす）…1かけ
- パスタ（1.8mm）…100g
  太麺がウマい

調味料

- 塩…小さじ1/5
- Ⓐ水…大さじ2
  コンソメ…小さじ1強
- 生クリーム（乳脂肪分35%）…100cc

炒めるとき

- バター…10g

ゆでるとき

- 水…1ℓ
- 塩…10g

仕上げ

- 黒胡椒…好みで

リュウジさんのパスタで
なにが一番美味しいですか？
→これです

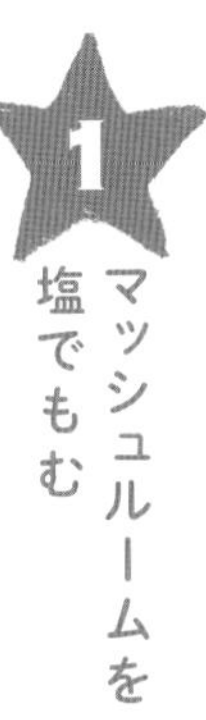

1 マッシュルームを塩でもむ

ボウルにマッシュルームを砕き入れ、塩をもみ込む。ラップをかけて10分おき、香りを引き出す。（香りが全然違うのでやってください）

2 マッシュルームのソースを作る

小鍋に❶とⒶを加え、弱めの中火で煮立たせる。3分ほど煮込んだらぶんぶんチョッパー（ミキサー）に移し、かくはんしてソース状にする。

3 クリームソースを作る

フライパンにバターを熱し、ベーコンとにんにくを弱めの中火で炒める。香りが出てきたら、にんにくだけを取りのぞく。❷と生クリームを加え、中火で鍋底に線が引けるくらいまで煮詰める。

4 パスタとソースを和える

パスタをゆでて水気をよーく切り、❸に加えて絡める。

舌の上でとろける
極上ホワイトソースの作り方

至高のグラタン

薄力粉の量を
最小限に留めることが
極上グラタンの秘訣です

材料（1人前）

- 鶏もも肉（小さめのひと口大）…200g
- たまねぎ（薄切り）…1/4こ（60g）
- マッシュルーム（厚めの薄切り）…50g
- マカロニ…50g
- 粉チーズ…たっぷり

炒めるとき

- バター…20g

調味料

- 塩胡椒…少々
- 薄力粉…大さじ2
- 牛乳…200cc
- Ⓐ生クリーム（乳脂肪分35%）…100cc
  顆粒コンソメ…小さじ1強
  ナツメグ…3ふり
  香りが違うから絶対入れて
  塩…少々

ゆでるとき

- 水…1ℓ
- 塩…10g

味変

- （好みで）タバスコ

1 具材を炒める

フライパンにバターを熱し、塩胡椒した鶏肉を中火で皮目から炒める。肉の色が変わってきたらたまねぎを加え、しんなりしたらマッシュルームも加えてよく炒める。

POINT

2 薄力粉を加えて炒める

薄力粉を加え、粉っぽさがなくなるまで具材にしっかりなじませる。

3 牛乳と調味料を加え煮詰める

牛乳を3～5回に分け、絶えず混ぜながら加える。Ⓐを加え、弱めの中火で鍋底に線が引けるくらいまで煮詰め、火を止める。

4 マカロニを加える

マカロニを表示より30秒短めにゆでて水気を切り、❸に加えて混ぜる。

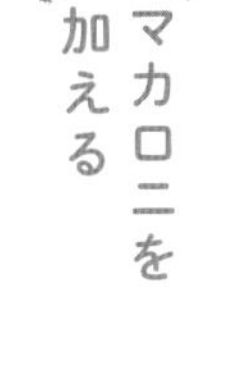

5 トースターで焼く

❹を耐熱皿に移し、粉チーズをたっぷりかける。250℃のオーブントースターで、焼き目がつくまで5～6分ほど焼く。

カレーうどん

白いシャツを
着ていても、すすりたい

100
RYUJI'S SUPREME COOKING RECIPE

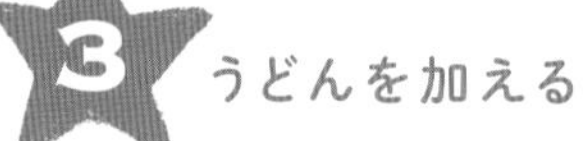

材料（1人前）

- 豚バラ薄切り肉（3～4cm幅）…80g
- たまねぎ（薄切り）…小1/4こ（50g）
- 小松菜（3～4cm幅）…40g
- にんにく（おろし）…1/2かけ
- 冷凍うどん…1玉

炒めるとき

- サラダ油…小さじ1

調味料

- 塩胡椒…少々
- Ⓐ水…170cc
  カレールウ（中辛）…1かけ
  バター…5g
  コクが違うから絶対入れて
  白だし…大さじ1
  砂糖…小さじ1/2

仕上げ

- 七味…好みで

1 たまねぎと豚肉を炒める

フライパンに油を熱し、たまねぎを中火で焼き色がつくまで炒める。豚肉を加えて塩胡椒をふり、サッと炒める。

2 調味料を加えて煮込む

弱火にし、にんにくとⒶを溶かし込む。小松菜を加え、ひと煮立ちさせる。うどんはレンジで温めておく。

3 うどんを加える

うどんを加えて、軽く煮込む。

至高の肉うどん

牛肉を「後がけ」するだけで、こんなに味が変わるとは

材料（1人前）

- 牛バラ切り落とし肉…120g
- 牛脂…1/2こ
- しょうが（千切り）…5g
- 冷凍うどん…1玉

調味料

- Ⓐ酒…大さじ1
  醤油…大さじ1
  みりん…大さじ1
  水…大さじ1
  砂糖…小さじ2
  オイスターソース…小さじ1
  深みが違うので絶対入れて

うどんスープ

- Ⓑ水…230cc
  白だし…大さじ2

仕上げ

- （好みで）小ねぎ
- （好みで）七味

後がけだから煮汁の旨味が薄まらない

1 牛肉を煮込む

鍋に牛肉・牛脂・しょうが・Ⓐを入れて、中火でひと煮立ちさせる。肉の色が変わったら火を止める。

2 だしでうどんをゆでる

別の鍋にⒷを入れて沸かし、うどんを凍ったまま加えて、ほぐれるまでゆでる。

3 牛肉の煮込みをかける

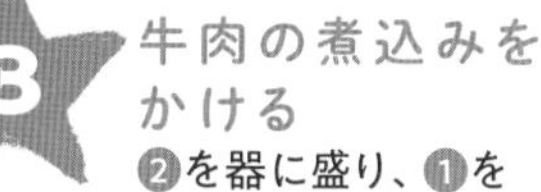

❷を器に盛り、❶を煮汁ごとかける。

言えることはただ1つ。
「そばと具材は別に焼け」

100
RYUJI'S SUPREME COOKING RECIPE

至高の焼きそば

材料（1人前）

- 焼きそば麺…1袋
- 豚バラ薄切り肉（3～4cm幅）…80g
- キャベツ（ざく切り）…1/8こ（100g）
- ニラ（3～4cm幅）…1/4束
- 卵…1こ

炒めるとき

- サラダ油（1回目）…小さじ2
- サラダ油（2回目）…小さじ2

調味料

- 塩胡椒…少々
- Ⓐウスターソース…大さじ1
  オイスターソース…大さじ1
  白だし…小さじ1/2

仕上げ

- （好みで）紅しょうが
- （好みで）かつおぶし
- （好みで）青のり

オイスター、ウスター、白だしの黄金比

1 麺だけ焼く

POINT

フライパンに油を熱し、麺をほぐさずに入れてヘラで押しつけながら、中火で両面に焼き目をつける。一度取り出す。

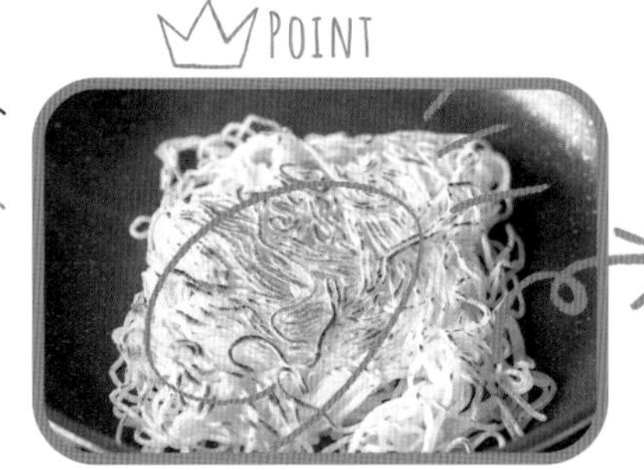

2 キャベツと豚肉を炒める

空いたフライパンにもう一度油を熱し、塩胡椒した豚肉を中火で炒める。焼き目がついたらキャベツも加え、強めの中火で焼き色がつくまで炒める。

3 麺と具材を合わせる

❶を戻し入れ、Ⓐを加えてほぐし炒める。

4 ニラは後入れ

麺がほぐれたらニラを加えてサッと炒め、皿に盛る。目玉焼きを作り、のせる。

至高の坦々麺

濃厚な肉みそをスープに溶かし込んで飲む

この本の編集さんは
独立前に
坦々麺を2週間連続で
食ったらしい

材料
（1人前）

- 小松菜（4cm幅）…50g
- 中華麺…1玉（130g）

肉みそ

- 豚ひき肉…80g
- 塩胡椒…少々
- 豆板醤…小さじ1と1/2
- 甜麺醤…小さじ1と1/2

炒めるとき

- サラダ油…小さじ1

スープ

- Ⓐ水…300cc
  中華調味料（ペースト）…小さじ2/3

ベースのタレ

- 長ねぎ（細かくみじん）…5cm（20g）
- Ⓑねりごま…大さじ2と1/2
  醤油…大さじ1弱
  味の素…4ふり
  酢…小さじ1/2
  ラー油…大さじ1弱

味変

- （好みで）花椒

1 肉みそを作る

フライパンに油を熱し、塩胡椒したひき肉を中火で炒める。焼き目がついたら火を弱め、豆板醤→甜麺醤の順に加えて炒め、火を止める。

2 スープを作る

鍋にⒶを入れて、一度沸いたら火を止める。

3 麺と小松菜をゆでる

別の鍋で麺と小松菜を一緒にゆで、ザルにあける。

4 タレを混ぜ合わせる

丼に長ねぎとⒷを入れて、軽く混ぜる。

5 盛りつける

❷のスープを温め直して器に注ぎ、麺を加えてほぐし、❶と小松菜を盛りつける。

至高の油そば

お店の魚粉を再現する
ブツ、ありました

100
RYUJI'S SUPREME COOKING RECIPE

材料
（1人前）

- 中華麺…1玉（130g）

（タレ）

- Ⓐ醤油…大さじ1弱
  酢…大さじ1/2
  オイスターソース…大さじ1弱
  リケン「素材力だし®本かつおだし」…小さじ1/2
  ごま油…小さじ2

（トッピング）

- 卵
- チャーシュー
- メンマ
- 小ねぎ
- きざみ海苔

（仕上げ）

- ラー油…好みで

タレを作る
Ⓐをよく混ぜておく。

麺とタレを和える
麺をゆでてザルにあけ、丼の中で❶のタレとよく和える。

トッピングをのせる
具材をトッピングし、仕上げにラー油を回しかける。

RYUJI'S SUPREME COOKING RECIPE 100

至高の冷やし中華

手作りごまダレ、醤油ダレ

材料（1人前）

- ハム（千切り）…4枚
- きゅうり（千切り）…1/3本
- 中華麺…1玉（130g）

錦糸卵

- 卵…1こ
- 片栗粉…小さじ1/2
- 水…大さじ1

焼くとき

- サラダ油…小さじ1と1/2

醤油ダレ

- Ⓐ砂糖…小さじ1と1/2
  醤油…小さじ2
  酢…小さじ2
  水…大さじ1
  ラー油…少々
  味の素…2ふり

ごまダレ

- しょうが（おろし）…少々
- にんにく（おろし）…少々
- Ⓑねりごま…大さじ1
  砂糖…小さじ1と1/2
  醤油…小さじ2
  酢…小さじ1と1/2
  ごま油…小さじ2

仕上げ

- 紅しょうが…好みで
- ラー油…好みで

キレの醤油ダレと
コクのごまダレの
共演す

1 醤油ダレとごまダレを作る

Ⓐを混ぜて醤油ダレを作る。しょうが・にんにく・Ⓑを混ぜてごまダレを作る。冷蔵庫で冷やしておく。

2 錦糸卵を作る

ボウルに卵・片栗粉・水を入れてよく混ぜる。大きめのフライパンに油を強火で熱し、温まったら弱火にして卵液を全体に流し入れる。固まったら取り出し、ロール状にしてから細切りにする。

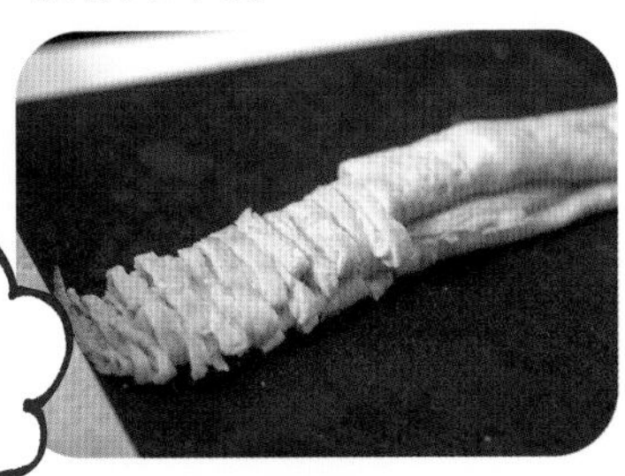

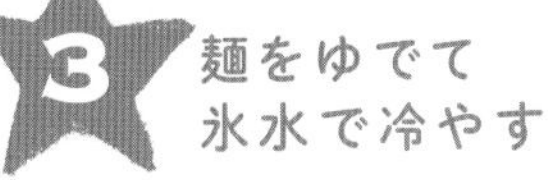

3 麺をゆでて氷水で冷やす

麺をゆでてザルにあけ、流水で冷やしたら、氷水で手が我慢できなくなるくらい締める。水気をよーく絞って皿に盛り、具材をのせて醤油ダレ→ごまダレの順にかける。

至高のジャージャー麺

この一皿のためだけに
甜麺醤を買う価値あります

材料（1人前）

- 豚ひき肉…100g
- きゅうり（細切り）…1/2本
- Ⓐしいたけ（粗みじん）…2こ（30g）
  たけのこ水煮（粗みじん）…40g
  長ねぎ（みじん）…6～7cm（30g）
- にんにく（おろし）…1かけ
- 中華麺…1玉（130g）

炒めるとき

- サラダ油…小さじ1と1/2

調味料

- 塩胡椒…少々
- 甜麺醤…大さじ2弱
- Ⓑ水…80cc
  酒…大さじ1
  砂糖…小さじ1
  中華調味料（ペースト）…小さじ1/2
  醤油…小さじ1
- Ⓒ片栗粉…小さじ1と1/2
  水…大さじ1
- ラー油…小さじ2
  辛いのが苦手な人はごま油に
- 黒胡椒…好みで
- サラダ油…小さじ1

肉肉しいのがウマい。
まさに中華版ボロネーゼ

1 ひき肉と野菜を炒める

フライパンに油を熱し、ひき肉に塩胡椒をふって中火で炒める。焼き目がついたらⒶを加え、全体に油が回るまで炒める。

2 甜麺醤を加える

甜麺醤を加え、全体になじませながら、（焦げないように）香りが出るまで炒める。

3 ほかの調味料を加える

弱火にして、Ⓑとにんにくを加え、ひと煮立ちさせる。合わせたⒸを加え、全体をかき混ぜとろみをつけて火を止める。黒胡椒とラー油をかけてサッと混ぜる。

4 麺と合わせる

麺をゆでてザルにあけ、サラダ油と絡めてから皿に盛る。❸をかけ、きゅうりをたっぷりのせる。

YouTube動画一覧

ペペロンチーノ

ボロネーゼ

カルボナーラ

ぺぺたま

明太子パスタ

トマトパスタ

クリームパスタ

グラタン

カレーうどん

肉うどん

焼きそば

坦々麺

油そば

冷やし中華

ジャージャー麺

いわゆる「王道」とされる調理法も、最初はだいたいのものが「邪道」から始まってるんですよね。「邪道」かどうかではなく、それが本当に良いものであると信じて広め続けることで評価され、「王道」になる。これはどんなことにおいても通ずると思います。

6

日本一料理ができる酒クズが考えた世界一酒に合うおつまみ

「おうちでできる」ガーリックシュリンプ、
「水で煮る」チャーシュー。
ビール・日本酒・ハイボール・ワイン・焼酎
どれでもいけます。

至高のガーリックシュリンプ

味はメキシコ風、
極上のプリプリ感

材料（1～2人前）

- バナメイエビ（殻つき）…10尾
- にんにく（粗みじん）…3かけ
- 食パン（6枚切り）…1枚
  トーストしておく
- 鷹の爪（輪切り）…1本

調味料

- Ⓐ酒…大さじ1
  片栗粉…小さじ1
  昆布茶…小さじ1弱
  塩…少々

煮るとき

- サラダ油…底から1cm
  オリーブ油はNG

オリーブ油は
エビの香りを殺しちゃうので
サラダ油でやってください

1 エビの下ごしらえ

殻をむき、背に切り込みを入れて背ワタをとり、二股にする。（煮上がったらエビがリボンみたいになってかわいい）殻は水気をふきとり、とっておく。

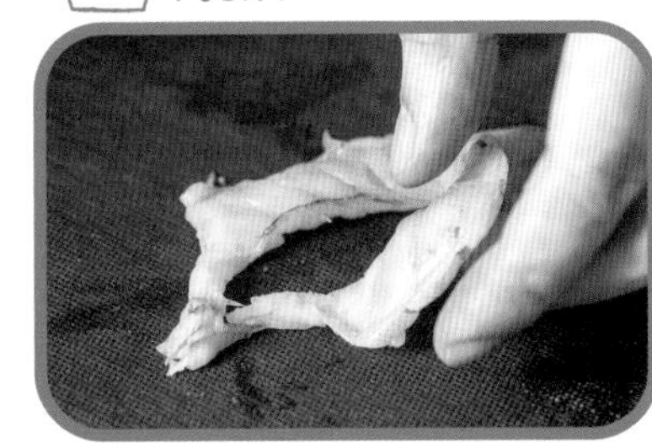

2 エビに下味をつける

ボウルにエビの身とⒶを入れ、よーくもみ込む。

3 ガーリックオイルを作る

スキレットに油を熱し、にんにくを弱火で炒める。シュワシュワ音を立てはじめたらエビの殻を入れ、香りが出てきたら取り出す。（塩かけて食べるとウマい）

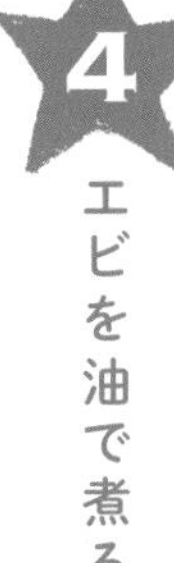

4 エビを油で煮る

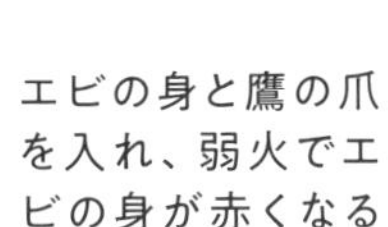

エビの身と鷹の爪を入れ、弱火でエビの身が赤くなるまで煮る。

至高のグリルチキン

余分なものはいらん

100
RYUJI'S SUPREME COOKING RECIPE

材料
（1～2人前）

- 鶏もも肉
  …1枚（300g）
  直前まで冷やしておく

調味料

- 塩…2.4g
  （鶏肉の重さの0.8%）
- Ⓐオレガノ
  …小さじ1弱
  黒胡椒…たっぷり
- オリーブ油…適量

仕上げ

- レモン…好みで
- 粒マスタード…好みで

ただトースターにぶちこむだけで肉汁がヤバイす

1 鶏肉の下ごしらえ
鶏肉の分厚い部分を開いて均等な厚さにする。両面に塩をすり込み、Ⓐも両面にまんべんなくふる。

2 オリーブ油をかける
❶をオーブントースターの天板（アルミホイルでもOK）に皮目を上にしてのせ、全体にオリーブ油をかける。

3 トースターで焼く
200℃で25分ほど、皮がパリッとするまで焼く。（足りなければ時間を追加して皮をパリパリにする）

100 RYUJI'S SUPREME COOKING RECIPE

至高のとり天

材料（2人前）

- 鶏むね肉（1.5cm幅）…350g
- しょうが（おろし）…5g
- にんにく（おろし）…1かけ

調味料

- Ⓐ白だし…大さじ1
  酒…大さじ1

衣

- Ⓑ薄力粉…大さじ3
  片栗粉…大さじ2
  塩…小さじ1/4
  炭酸水…大さじ4

揚げるとき

- サラダ油…底から1cm

食べるとき

- 塩とレモン
- 白だしを3倍のお湯で割ったもの

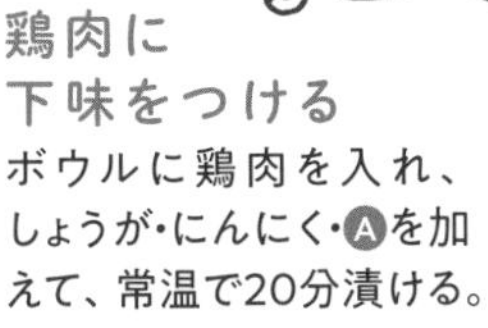

噛んだ瞬間、
鶏の汁が口から
こぼれるほどあふれる

100g68円の鶏むね、
ジューシーにします

1 鶏肉に下味をつける
ボウルに鶏肉を入れ、しょうが・にんにく・Ⓐを加えて、常温で20分漬ける。

2 鶏肉に衣をつける
別のボウルにⒷを入れて手早く混ぜ（固さはクレープの生地くらい）、①をたっぷりとくぐらせる。

3 サッと揚げる
小さめのフライパンに油を強めの中火で熱し、②を両面ともに端が色づくまでサッと揚げる。金網に取り出して油を切る。

至高のフライドチキン

超★スーパー★奇跡のザクザク食感

材料（2～3人前）

- 鶏もも肉…300g
- 卵…1こ
- にんにく（おろし）…1/2かけ

調味料

- オールスパイス…4ふり
  ガーリックパウダー…6ふり
  ナツメグ…4ふり
  顆粒コンソメ…小さじ1/2
  塩…小さじ1/4
  醤油…小さじ1

衣

- Ⓑ薄力粉…大さじ2
  顆粒コンソメ…小さじ1/2
  醤油…小さじ1
  塩…1つまみ

揚げるとき

- 薄力粉…適量
- サラダ油…底から2cm

僕はクリスマス仕事ですけど、みなさんにはぜひ食べてほしいです

1 鶏肉の下ごしらえ

鶏肉にラップをかけて上からビンで叩き、平らにする。フォークで両面にまんべんなく穴を空け、3等分する。

2 鶏肉に下味をつける

ボウルに鶏肉とⒶを入れてよーくもみ込み、常温で30～50分おく。

3 衣を作る

別のボウルに卵・にんにく・Ⓑを入れて、泡立て器でよく混ぜる。❷の鶏肉をたっぷりとくぐらせる。

POINT

4 一度揚げ

❸に薄力粉を押しつけるようにまぶす。フライパンに油を熱し、強めの中火で揚げる。柴犬色になったら一度取り出し、ペーパータオルに上げて3分ほど休ませる。

5 二度揚げ

油を弱火で熱し、鶏肉を戻して40秒ほど揚げる。

100
RYUJI'S SUPREME
COOKING
RECIPE
至高のチヂミ
炭酸水。圧倒的なサクサク感をもたらすただ1つの方法

材料（1～2人前）

- 好みのシーフード（細かく切る）…150g
  エビ、イカ、アサリなど
- たまねぎ（8mm幅）…1/4こ（60g）
- ニラ（3~4cm幅）…50g

生地

- 薄力粉…45g
- 片栗粉…40g
- 炭酸水…90cc
  サクサク感が全然違う
- 白だし…小さじ2
- 塩…1つまみ

タレ

- 砂糖…小さじ1
- コチュジャン…小さじ1
- 醤油…大さじ1と1/2
- 酢…小さじ1と1/2
- ラー油…好みで

炒めるとき

- ごま油（1回目）…大さじ1
- ごま油（2回目）…小さじ2

生地の裏返し方は、
動画見て

1 生地を作る

ボウルに生地の材料を入れ、ダマがなくなるまでよく混ぜる。

2 具材を加える

❶にシーフード・たまねぎ・ニラを加え、混ぜ合わせる。

3 タレを作る

ボウルにタレの材料を入れ、混ぜ合わせる。

4 生地を焼く

大きめのフライパンに油を熱し、❷を広げ、強めの中火で4分ほどヘラで押しつけながら焼く。

5 ごま油でパリッとさせる

焼き目がついたら裏返し、鍋肌からもう一度ごま油を入れて、両面をパリッと焼く。

至高のモツ煮

「にんにく1玉」という字面に反して、上品な味

材料（4～5人前）

- 豚白モツ…500g
- にんじん（半月切り）…150g
- 大根（いちょう切り）…300g
- こんにゃく（スプーンでちぎる）…1パック（250g）ぬるま湯で洗っておく
- にんにく（皮をむく）…まるごと1玉
- しょうが（おろし）…10g
- 長ねぎ（小口切り）…1本（150g）水にさらしておく

炒めるとき

- ごま油…大さじ1

調味料

- Ⓐ水…1ℓ
  酒…大さじ2
  白だし…大さじ4
  みりん…大さじ2
  みそ…大さじ4

仕上げ

- 七味…好みで

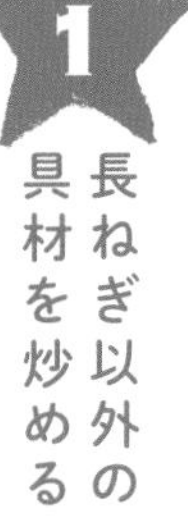

1 長ねぎ以外の具材を炒める

フライパンに油を熱し、豚モツを中火で炒める。油が回ったら、にんじんと大根→こんにゃくを順に加えて炒める。油が回ったら、にんにくを2かけだけとっておき、残りを加える。

2 調味料を加えて煮込む

Ⓐを加え、強火で一度煮立たせる。弱めの中火にし、フタをせず1時間煮込む。

3 味をととのえる

しょうがとにんにく2かけをおろして加え、数分煮込む。器に盛り、水気を絞った長ねぎをのせる。（時間があれば、一度冷まして味を染みこませる）

にんにく1玉使うときは、底を切り落として上から包丁の腹で叩くと簡単に皮がむけます

100
RYUJI'S SUPREME COOKING RECIPE

至高のジャーマンポテト

世界一罪な芋は、
とんでもないものを
盗んでいきました

僕の
ビールです

材料（1～2人前）

- じゃがいも（1.5cm幅）…2こ（250g）
  皮つきのまま使う
- ブロックベーコン（細切り）…50g
- たまねぎ（1.5cm幅）…1/4こ（60g）
- にんにく（粗みじん）…2かけ

炒めるとき

- オリーブ油…小さじ2

調味料

- Ⓐ顆粒コンソメ…小さじ1強
  バター…10g
- 黒胡椒…たっぷり
- 酒…大さじ1と1/2

仕上げ

- 塩…好みで
- 黒胡椒…好みで

味変

- （好みで）粒マスタード
- （好みで）タバスコ

1 じゃがいもをチンする

耐熱容器にじゃがいもを入れ、ラップをしてレンジで3分温める。

2 具材を炒める

フライパンに油を熱し、ベーコンを弱めの中火で炒める。焼き目がついたら端に寄せ、❶を並べ、たまねぎも加えて中火で炒める。

3 調味料を加える

じゃがいもに焼き目がついたら、Ⓐとにんにくを加える。香りが出たら全体を混ぜ、黒胡椒をふる。

4 酒を加えて味をととのえる

全体が柴犬色になったら、酒を加えてサッと炒める。味をみて、足りなければ塩を加える。

至高のカルパッチョ

刺身＋ガーリックオイル
＝カルパッチョ

材料
（1～2人前）

- 好みの刺身（さく）…120g
  タイ・ヒラメなどの白身

調味料

- Ⓐ塩…少々
  黒胡椒…少々
  レモン汁…少々

ガーリックオイル

- にんにく（粗みじん）…1かけ
- オリーブ油…大さじ2

仕上げ

- パセリ…好みで
- パプリカパウダー…好みで

前菜なのに
白ワイン1本
空けてしまいやした

1 刺身に下味をつける
刺身を薄切りにして皿に盛り、Ⓐをふる。

2 ガーリックオイルを作る
フライパンに油とにんにくを入れて弱火にかけ、傾けた油だまりで柴犬色になるまで炒める。

3 刺身にオイルをかける
すくい網でオイルとチップを分ける。❶にオイルをかけ、チップを添える。

「アレ」を使わないせいで、
イタリア人が激怒する

至高のアクアパッツァ

100
RYUJI'S SUPREME COOKING RECIPE

材料（2人前）

- 魚の切り身…2切れ（180g）
  タイ・スズキ・サバなど
- 冷凍アサリ（殻つき）…150g
  活アサリの場合は砂抜きしておく
- アンチョビフィレ（細かく刻む）…3枚（15g）
- プチトマト…6こ
- ブラックオリーブ（薄切り）…5こ（30g）
- にんにく（粗みじん）…2かけ

調味料

- 塩…少々
- 黒胡椒…少々
- 白ワイン…120cc

焼くとき

- オリーブ油…大さじ1

仕上げ

- オリーブ油…大さじ1
- パセリ…好みで

アクアパッツァなのに
「無水」なのは
気にしないでください

1 魚に焼き目をつける

魚の皮に十字の切り目を入れ、両面に塩と黒胡椒をふる。フライパンに油を熱し、皮目から入れて中火で両面焼く。表面が色づいたら一度取り出す。油はフライパンに残しておく。

2 にんにくとアンチョビを炒める

弱火にし、空いたフライパンにアンチョビとにんにくを加えて炒め、香りを出す。

3 アサリとワインを加えて蒸す

アサリと白ワインを加えてフタをし、中火で蒸し焼きにする。殻が開いたらアサリを一度取り出す。

4 オリーブ・プチトマト・魚を加える

オリーブを加え、強火で水分が2/3になるまで煮詰める。中火にし、❶の魚とプチトマトを加え、トマトを軽くつぶしながら煮詰める。水気が少なくなったら、火を止めてアサリを戻し入れる。もう一度中火で熱し、オリーブ油を回しかける。

至高のチャーシュー

水で煮て、特製タレに
漬けるだけ

材料
（作りやすい分量）

- 豚バラブロック肉…500g
  赤身と脂身が5:5 or 6:4がウマい
- にんにく（おろし）…1/2かけ

調味料

- 酒…25cc
- みりん…25cc
- Ⓐ醤油…75cc（大さじ5）
  味の素…5ふり

味変

- （好みで）辛子
- （好みで）小ねぎ
- （好みで）ラー油

嚙むと脂が
ジュワッと広がる
奇跡のホロホロ豚

1 豚肉をゆでる

鍋に豚肉とかぶるくらいの水（分量外）を入れ、中火で一度沸かす。弱火にし、フタをして1時間30分ゆでる。

2 酒とみりんをチンする

耐熱容器に酒とみりんを入れ、レンジで1分30秒温め、アルコールを飛ばす。

3 真空状態でタレに漬け込む

❶の豚肉をファスナー付きの保存袋に入れ、にんにく・Ⓐ・❷を加える。空気を抜いて密封し、常温で1時間おく。（ボウルにたっぷりと水を入れ、保存袋を水が入らないように沈めていくと、水圧で空気が抜けます）

4 バーナーであぶる

カットし、もう一度保存袋に戻して、レンジで1分30秒温める。あればバーナーで焦げ目をつける。（バーナーない人はあぶらなくても十分ウマいです）残ったタレを回しかける。

のトンテキ

に、香ばしい
ップ

材料（1人前）

- 豚ロース厚切り肉…1枚（300g）
  常温に戻しておく
- にんにく（スライス）…1～2かけ

焼くとき

- サラダ油…小さじ2

調味料

- 塩…2つまみ
- 黒胡椒…好みで
- Ⓐウスターソース…大さじ1と1/2
  醤油…大さじ1
  みりん…小さじ1と1/2
  砂糖…小さじ1
  味の素…2ふり
  バター…5g

仕上げ

- キャベツ（千切り）…たっぷり

タレがウマすぎて、
キャベツが本体かと
思うくらい食える

豚肉の下ごしらえ

肉の赤身と脂身の境目にある筋を2cm間隔で両面とも切る。包丁の背で叩いて厚さを均一にし、塩と胡椒をふる。

2 ガーリックチップを作る

フライパンに油を熱し、傾けた油だまりににんにくを入れ、強めの弱火で柴犬色になるまで炒める。チップはペーパータオルに取り出し、油はフライパンに残す。

3 豚肉を焼く

空いたフライパンに豚肉を入れ、フタをして中火で3分焼く。焼き目がしっかりついたら裏返し、もう一度フタをして弱めの中火で3～4分焼く。（フォークを刺して出てきた肉汁が透明ならOK）

4 肉を保温する

肉を取り出してアルミホイルで包み、その上からタオルでくるむ。

5 タレを作る

空いたフライパンにⒶを入れ、弱火でとろみがつくまで煮詰める。皿に豚肉を盛りつけてタレをかけ、❷のガーリックチップをのせる。

材料（1人前）

- かつおぶし…2g
- 昆布茶…小さじ1
- 水…150cc

トッピング

- きざみ海苔
- 小ねぎ
- わさび
- 白ごま

至高の
このメを食べるために
酔っ払いたい
お茶漬け
酔っ払ってても
余裕で作れやす

1 魔法の粉を作る

耐熱容器にかつおぶしを入れて、ラップをかけずにレンジで30秒温める。粗熱をとり、指ですりつぶして粉状にする。

2 だしを沸かす

鍋に水・昆布茶・❶を入れ、中火で沸かす。

3 ごはんにだしをかける

ごはんに❷をかけ、トッピングをのせる。

100
RYUJI'S SUPREME COOKING RECIPE

至高のみそ汁

これを朝飲むために二日酔いになりたい

材料（3人前）

- 長ねぎ（小口切り）…1/2本（60g）
- 絹ごし豆腐（さいの目切り）…150g
- かつおぶし…8g
- 水…450cc
- みそ…大さじ2
- 味の素…8ふり

1 魔法の粉を作る

耐熱容器にかつおぶしを入れて、ラップをかけずにレンジで1分温める。粗熱をとり、指ですりつぶして粉状にする。

2 だしを沸かす

鍋に水・1・味の素を入れ、中火で沸かす。

3 具材を加えてみそを溶く

火を弱め、長ねぎと豆腐を加える。ひと煮立ちさせたら火をごく弱火にして、みそを溶かす。

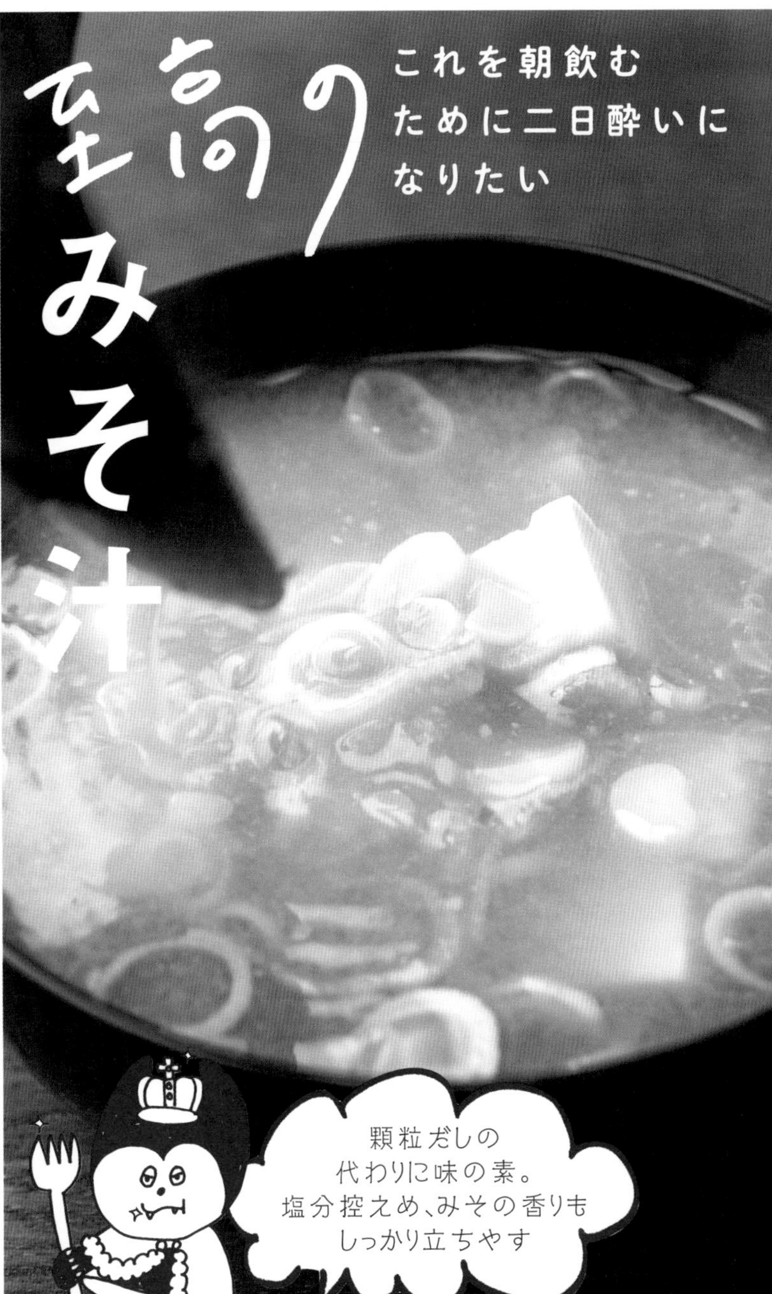

顆粒だしの
代わりに味の素。
塩分控えめ、みその香りも
しっかり立ちやす

YouTube動画一覧

ガーリック
シュリンプ

グリルチキン

とり天

フライドチキン

チヂミ

モツ煮

ジャーマン
ポテト

カルパッチョ

アクアパッツァ

チャーシュー

トンテキ

お茶漬け

みそ汁

僕は「自分の舌に合わせて作る自分の料理が世界一ウマい」と思ってるんですが、最近の悩みは作って食べるごとに毎回「やべえ、これ世界一ウマいわ」と感じてしまって、だいたい世界一の料理になってしまうことです。美味しさは星が決めるんじゃない。自分で決めるんです。

7
手作りのウマさがわかる！至福のスープ・鍋・シチュー
インスタントとは全然違うたまごスープ、
もう外で買いたくなくなるおでん。
とにかく自炊の楽しさが伝わればいいな。

本当にウマいポトフは、
煮る前に「焼く」

至高のポトフ

材料
（4人前）

- ブロックベーコン…200g
- キャベツ…1/2こ
- じゃがいも…2こ（300g）
- たまねぎ…1こ
- にんじん…2本（300g）
- にんにく…3こ

焼くとき

- オリーブ油…適量

調味料

- 水…1400cc
- Ⓐ顆粒コンソメ…大さじ1
- Ⓐ塩…小さじ1弱

仕上げ

- 黒胡椒…好みで
- 粒マスタード…好みで

砂糖を使ってないのに
野菜の甘みがスゴいす

具材を切る

キャベツは芯を残して8等分、じゃがいもは皮つきのまま半分に、たまねぎは付け根を残して8等分、にんじんは皮つきのまま4等分、ベーコンは1cm厚に切る。にんにくは皮をむく。

具材に焼き目をつける

フライパンに油を熱し、キャベツを強めの中火で、押しつけながら断面に焼き目をつける。鍋に移し、オリーブ油を足しながら、ほかの具材にも順に焼き目をつけて、鍋に移していく。

水を注いで鍋に移す

フライパンに残った焼いた具材の旨味を逃さないよう、分量の水をフライパンに注いでから鍋に移す。

4

調味料を加えて煮込む

Ⓐを加え、強火で一度沸かしたら強めの弱火にし、フタをして30分煮込む。味をみて濃ければ水を足し、薄ければ塩でととのえる。

赤ワインと
極限まで煮込んだコク
至高のビーフシチュー
100
RYUJI'S SUPREME
COOKING
RECIPE

材料（4～5人前）

- 牛バラブロック肉…800g
  肩ロースやすね肉でもOK
- たまねぎ（薄切り）…2こ
- ブラウンマッシュルーム（4等分）…2パック
- にんにく（粗みじん）…4かけ

調味料

- 塩胡椒…少々
- 薄力粉…大さじ3
- 塩（❷に入れる）…1つまみ
- Ⓐ赤ワイン…750cc
  水…100cc
  顆粒コンソメ…大さじ1強
  塩…少々
  黒胡椒…思ってる2倍
- 塩（❺に入れる）…少々
- 砂糖…大さじ2

炒めるとき

- オリーブ油（1回目）…大さじ1
- バター（2回目）…20g
- バター（3回目）…20g

煮込むとき

- バター…40g

仕上げ

- 生クリーム…好みで

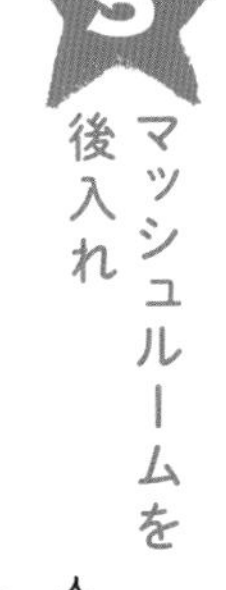

しょっぱかったら
無塩バターで
やってみてください

1 牛肉に焼き目をつける

牛肉を大ぶりに切り、塩胡椒と薄力粉をふって、よーくもみ込む。フライパンに油を熱し、牛肉に強火で焼き目をつける。一度取り出す。

2 たまねぎを炒める

空いたフライパンにバターを熱し、たまねぎを入れる。塩1つまみをふり、にんにくも加え、たまねぎが飴色になるまで炒める。

3 牛肉と調味料を加える

牛肉を戻し入れ、Ⓐを加え、中火でフタをせず30分煮込む。

4 砂糖を加えて煮込む

とろみがついてきたら、砂糖を加えてフタをし、弱めの中火でさらに20分煮込む。煮詰まりすぎて焦げそうであれば、水を加える。

5 マッシュルームを後入れ

別のフライパンにバターを熱し、マッシュルームを入れて塩少々をふり、中火で炒める。❹にバターとともに加え、フタをして弱めの中火で20分煮込む。

生クリームはいらない。あの乳製品が必要だ

至高のクリームシチュー

材料（4～5人前）

- 鶏もも肉（ひと口大）…500g
- たまねぎ（5mm幅）…1こ（250g）
- にんじん（小さめの乱切り）…1本（150g）
- じゃがいも（8等分）…2こ（250g）
- ブロッコリー（ひと口大）…1本（120g）
- クリームチーズ…100g
  絶対入れてください

調味料

- 塩胡椒…少々
- 薄力粉…大さじ3
- 白ワイン…150cc
  酒でもOK
- Ⓐ牛乳…1ℓ
  顆粒コンソメ…大さじ3

炒めるとき

- バター…40g

仕上げ

- 塩…好みで
- ホワイトペッパー…好みで
  なければ黒胡椒

クレアおばさんか、
リュウジのお兄さんか

1 鶏肉に焼き目をつける

大きめの鍋にバターを熱し、鶏肉に塩胡椒をふって中火で焼き目をつける。

2 たまねぎ・にんじん・じゃがいもを加える

たまねぎを加えて炒め、しんなりしたらにんじんとじゃがいもを加え、さらに炒める。全体に油が回ったら薄力粉を加え、よく混ぜて具材になじませる。白ワインを加えて強火で炒める。

3 牛乳と調味料、チーズを加える

Ⓐを加え、もう一度沸かす。弱火にして、クリームチーズをお玉でみそのように溶かし入れる。

4 ブロッコリーを加える

ブロッコリーを加え、フタをしてごく弱火で30～40分煮込む。（火が強いと分離します）味をみて、塩とホワイトペッパーでととのえる。

絶対野菜が余らなくなる
栄養満点神スープ

至高のミネストローネ

材料（3～4人前）

- ベーコン…100g
- Ⓐたまねぎ…1/2こ（150g）
  じゃがいも…1こ（150g）
  にんじん…小1本（100g）
  キャベツ…1/4こ（200g）
- にんにく（スライス）…3かけ
- トマト缶（ホール）
  …1缶（400g）

調味料

- 塩…小さじ1/3
- 酒…150cc
  ワインだと酸っぱい
- Ⓑ水…500cc
  顆粒コンソメ
  …大さじ1と1/2
  （あれば）オレガノ
  …小さじ1/3

炒めるとき

- オリーブ油…大さじ2

仕上げ

- オリーブ油…好みで

日本酒を入れることで
酸味よりも甘みが勝つ、
まろやかな味に仕上がります

1 具材を切る

具材を均等な大きさにダイスカットする。

2 具材を炒める

鍋に油を熱し、ベーコンを中火で炒め、焼き目がついたらにんにくを加えて炒める。香りが出てきたらⒶを加え、塩をふって強めの中火で炒める。

POINT

3 トマト缶を加えて煮詰める

油が回ったらトマト缶を入れてつぶす。フタをせず強めの中火で、トマトの水分がとろっと具材にまとわりつくようになるまで、よく炒める。

4 調味料を加えて煮込む

日本酒を加え、一度沸かす。火を弱めてⒷを加え、強火でもう一度沸かす。フタをして弱めの中火で20分煮込む。皿に盛り、オリーブ油をかける。

至高のクラムチャウダー

缶じゃなくてイチから作ってみて
ください。全然違います

材料（4～5人前）

- 冷凍アサリ（殻つき）…150g
  活アサリの場合は砂抜きしておく
- 冷凍アサリ（むき身）…200g
- じゃがいも…大1こ（180g）
- ベーコン…60g
- にんじん…1本（150g）
- たまねぎ…1こ（250g）
- 舞茸…100g

調味料

- 塩…少々
- 薄力粉…大さじ4
- 酒…100cc
  ワインだと酸っぱい
- 牛乳…700cc
- 顆粒コンソメ…大さじ2
- ホワイトペッパー…好みで
  なければ黒胡椒

炒めるとき

- バター…30g

クリームシチューより
もはやこっちのがウマい

具材を切る

具材を均等な大きさにダイスカットする。

アサリ以外の具材を炒める

フライパンにバターを熱し、アサリ以外の具材を入れ、塩をふって中火で炒める。

アサリを加えて蒸す

薄力粉を加え、よく混ぜて具材になじませる。アサリと酒を加え、フタをして数分蒸す。

牛乳と調味料を加えて煮込む

牛乳とコンソメを加えて、とろみがつくまで煮込む。最後にホワイトペッパーをふる。

たまごスープ

最後のひと口までずっと熱々

100
RYUJI'S SUPREME COOKING RECIPE

材料
（3～4人前）

- 卵…2こ
- 長ねぎ（みじん）…1/2本（60g）

調味料

- Aオイスターソース…小さじ2
  中華調味料（ペースト）…小さじ1と1/2
  黒胡椒…たっぷり
  水…500cc
- B片栗粉…小さじ2
  酒…大さじ1と1/2

ごはんを入れたら
至高のクッパ

スープを作る
鍋にAを入れ、強火で一度沸かす。弱火にし、合わせたBを加えてよく混ぜ、とろみをつける。

卵を加える
鍋の中をヘラでグルグル混ぜる。渦ができたら溶き卵を1/3ほど垂らし、固まるまで待つ。

長ねぎを加える
2の工程を3回繰り返して卵を全量加えたら、長ねぎを加えて、全体を混ぜる。

最短で韓国に飛べる方法がこちら

至高のスンドゥブ

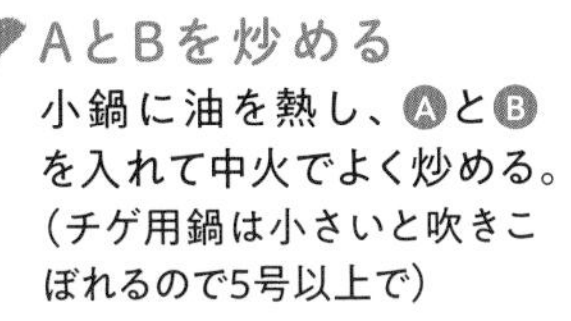

材料（1人前）

- Ⓐ豚バラ薄切り肉（3〜4cm幅）…80g
  キムチ…60g
  塩辛…大さじ1
  旨味のもとだから絶対入れて
  にんにく（おろし）…5g
  しょうが（おろし）…5g
- 冷凍アサリ（むき身）…10粒
- 豆腐（スプーンですくう）…150g
- 長ねぎ（斜め切り）…1/3本（40g）

調味料

- Ⓑコチュジャン…大さじ1と1/2
  一味唐辛子…小さじ1
  辛さは一味の量で調整
- Ⓒ水…300cc
  白だし…小さじ2
  砂糖…小さじ1

炒めるとき

- ごま油…大さじ1

仕上げ

- 卵…1こ
- ごま油…大さじ1

1 AとBを炒める
小鍋に油を熱し、ⒶとⒷを入れて中火でよく炒める。（チゲ用鍋は小さいと吹きこぼれるので5号以上で）

2 残りの材料を加える
アサリとⒸを加え、強火で一度沸かす。弱めの中火にし、豆腐と長ねぎを加えて煮込む。

3 卵とごま油を加える
長ねぎが少し柔らかくなったら卵を割り入れ、ごま油を回しかける。

至高の かぼちゃのポタージュ

甘くない。だが、それがいい

材料
（4人前）

- かぼちゃ …1/4こ（380g）
- たまねぎ（薄切り）…1/2こ（120g）
- 牛乳…450cc

調味料

- 塩…1つまみ
- 顆粒コンソメ …小さじ2と1/2

炒めるとき

- バター…20g

仕上げ

- （あれば）生クリーム …好みで

味変

- ホワイトペッパー …5ふり

かぼちゃの香りを
一切邪魔しないレシピを
追求しやした

1 かぼちゃをチンする

かぼちゃをラップでくるみ、レンジで6分温める。種と皮はとり除く。

2 たまねぎを炒める

鍋にバターを熱し、たまねぎを入れて、塩をふり弱火で炒める。

3 ブレンダーにかける

たまねぎが透き通ったら、❶・牛乳・コンソメを加えて一度沸かし、火にかけたままブレンダーにかける。

4 コトコト煮込む

ごく弱火で15分とろみがつくまで、時々混ぜながら煮込む。

至高のおでん

「だし+オイスターソース」と
いう最高の方程式を証明します

材料（4人前）

- 大根…1/2本
- ちくわ…2本
- こんにゃく
…1パック(250g)
- さつま揚げ…4枚
- 魚河岸揚げ…4こ
- ゆで卵（固ゆで）
…4こ

調味料

- Ⓐ水…1ℓ
オイスターソース
…大さじ1
深みが違うから
絶対入れて
白だし…70cc
塩…小さじ1/2

仕上げ

- 辛子…好みで

1 具材を切る

大根の皮をむき、輪切りにして十字に切り込みを入れる。ちくわは大きければ斜めに2等分する。こんにゃくは格子状に切り込みを入れてから三角に切り、ぬるま湯で洗って臭みを抜く。

2 調味料を加えて煮込む

フライパンに具材を入れ、Ⓐを加え、中火で1時間煮込む。

3 1時間休ませる

火を止め、1〜2時間休ませて味を染み込ませる。

〆は日本酒の
おでんだし割りでどうぞ

このスープと鶏だんご覚えたら、
鍋のもと買わなくなります

至高のちゃんこ

材料（3～4人前）

- 鶏もも肉（そぎ切り）…200g
- 白菜（ざく切り）…1/8こ（300g）
- にんじん（半月切り）…1/2本
- しいたけ（軸をとる）…6こ
- ニラ（4cm幅）…1束
- 油揚げ（4等分）…3枚
- 木綿豆腐（スライス）…150g

スープ

- しょうが（おろし）…5g
- にんにく（おろし）…5g
- 水…550cc
- 酒…100cc
- 白だし…大さじ1
- 醤油…小さじ1と1/2
- 中華調味料（ペースト）…小さじ1と1/2

鶏だんご

- 鶏ひき肉（もも）…250g
- 長ねぎ（みじん）…1/2本（60g）
- しょうが（みじん）…15g
- 酒…大さじ1
- みそ…大さじ1
- 中華調味料（ペースト）…小さじ1/3
- 片栗粉…小さじ5
- 塩…1つまみ

力士じゃなくても
ちゃんこ屋さんやれるくらい
ウマい

1 具材を切る

鶏だんご以外のすべての具材を切る。

2 スープで煮込む

鍋に鶏だんごとニラ以外の材料を並べ、スープの材料を合わせて流し入れる。フタをして強火で一度沸かしたら、中火にして10分煮る。

3 鶏だんごを作る

ボウルに鶏だんごの材料を入れ、粘り気が出るまでよく混ぜる。（鶏軟骨とかコンビニで売ってるミミガーを刻み入れても、食感が出てウマい）

4 鶏だんごとニラを加えて煮込む

野菜がしなっとしたら、空いたスペースに❸を丸めて落とす。ニラをのせ、もう一度フタをして鶏だんごに火が通るまで10～15分煮込む。味をみて、足りなければ塩（分量外）でととのえる。

見たこともない「卵黄ダレ」
ご賞味ください

至高の湯豆腐

材料（2～3人前）

- 木綿豆腐…300g
- タラ…2切れ
- えのき…1/2パック
- 長ねぎ…5/6本

卵黄ダレ

- Ⓐ長ねぎ（みじん）
  …1/6本
  卵黄…2こ分
  かつおぶし
  …大さじ2
  醤油
  …大さじ1と1/2
  白だし
  …大さじ1と1/2
  みりん
  …大さじ1と1/2

だし

- Ⓑ水…鍋の深さの
  半分くらい
  白だし…好みで
  水500ccに対して
  白だし大さじ1が基本

1 具材を切る

えのきは石づきを切り落として半分の長さに切り、ほぐす。長ねぎは1/6をみじん切りに、残りは青い部分まで斜め切りにする。豆腐は12等分に、タラは半分に切る。

POINT

2 卵黄ダレを作る

鍋と同じくらいの深さの耐熱の器にⒶを入れ、よく混ぜる。鍋の中央に置く。

3 鍋を煮込む

鍋にⒷを注ぎ、具材を入れて強火にかけ、だしが沸いたら火を弱める。タレは絶えずかき混ぜて、ゆるいみそくらいの固さになったら取り出す。

卵黄ダレはお好みで、
鍋のだしでのばしてください

YouTube動画一覧

ポトフ

ビーフシチュー

クリーム
シチュー

ミネストローネ

クラム
チャウダー

たまごスープ

スンドゥブ

かぼちゃのポタージュ

おでん

ちゃんこ

湯豆腐

料理研究家は「美味しい料理を作る」のが仕事のシェフとは違い、「料理を美味しく作ってもらう」のが仕事なので、レシピ通りに作って失敗したら、レシピのせいにしてください。なぜ美味しくできないのかと自分を責める必要はありません。自分のレシピが原因で料理が嫌いになってしまう方が悲しいです。相手に、「まずい、いまいち、下手」と心無い言葉をかけられたときには、なおさらレシピのせいにした方がいいですね。「料理研究家のリュウジの言う通りに作ったけどあなたの好みじゃなかったみたいね」で終わりです。

8

1200円
払ってたことが
悔やまれる
店超えパン&スイーツ

端っこまでちゃんと具があるサンドイッチ、
イタリアに行かなくても食べれる本場のティラミス。
これまでの後悔を
全力でウマさに変えました。

至高のタマゴサンド

はみ出る卵にかぶりつけ

100 RYUJI'S SUPREME COOKING RECIPE

材料（1人前）

- 食パン（6枚切り）…2枚
- バター…8g
  常温で柔らかくしておく

卵フィリング

- 卵（Lサイズ）…3こ
- バター…5g
- Ⓐマヨネーズ…大さじ2と1/2
  塩…小さじ1/5
  黒胡椒…思ってる2倍
  味の素…4ふり
  辛子…3～4cm

卵は黄身が流れ出ないくらいの半熟がウマい

1 やや半熟のゆで卵を作る

鍋にお湯を沸かし、冷蔵庫から出したばかりの冷たい卵をサッと水に濡らしてから入れ、8分ゆでる。殻をむく。

2 卵フィリングを作る

バター5gをレンジで40秒温める。ボウルに①・溶かしたバター・Ⓐを入れてよく混ぜる。

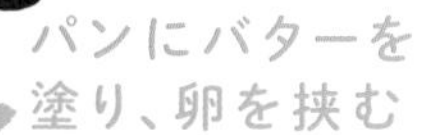

3 パンにバターを塗り、卵を挟む

広げたラップの上にパンをのせる。両方にバター8gを塗り、②をこんもり挟む。ラップで包み、ラップごと包丁で半分に切る。

100

RYUJI'S SUPREME COOKING RECIPE

至高のハムレタスサンド

細切りのハムに最高のマヨダレ

材料（1人前）

- ハム（千切り）…4枚（40g）
- レタス（ちぎる）…50g
  洗って水気をよく切っておく
- スライスチーズ…2枚
- 食パン（6枚切り）…2枚
- バター…5〜8g
  常温で柔らかくしておく

調味料

- Ⓐマヨネーズ…大さじ2
  無調整豆乳（牛乳でもOK）…大さじ1
  まろやかになるので絶対入れて
  顆粒コンソメ…小さじ1/3
  黒胡椒…思ってる2倍
  わさび…4cm

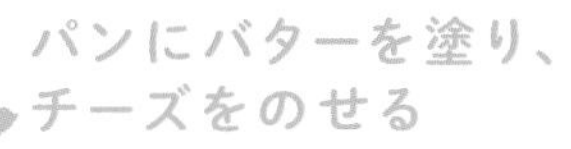

端っこまで具がない
やつをこの世で
一番憎んでる

1 ハムと調味料を混ぜる

ボウルにハムとⒶを入れ、混ぜ合わせる。

2 パンにバターを塗り、チーズをのせる

広げたラップの上にパンをのせる。両方にバターを塗り、チーズをのせる。

3 ハムとレタスを挟む

片方に①、もう片方にレタスをのせて挟む。ラップで包み、ラップごと包丁で半分に切る。

なんでかわからんが、
ほぼプリンみたいな食感です

至高のフレンチトースト

材料
（1人前）

- 食パン（4枚切り）…1枚

卵液

- 卵…1こ
- Ⓐ牛乳…50cc
  砂糖…小さじ4
- Ⓑ生クリーム（乳脂肪分35％）…50cc
  43％だとなかなか卵液を吸わんので注意
  （あれば）バニラエッセンス…3滴

焼くとき

- バター…10g

仕上げ

- バター…5g
- メープルシロップ…好みで

1 卵液を作る

耐熱容器に卵とⒶを入れ、泡だて器でよく混ぜる。Ⓑを加えてさらに混ぜる。

2 パンを卵液に浸す

食パンの耳を切り落とし、両面に十字の切り込みを入れる。卵液によーく浸す。

3 レンジで温める

ラップをかけずにレンジで30秒温め、裏返してさらに20秒温める。

4 冷蔵庫で15〜20分浸す

冷蔵庫に入れ、時々卵液をスプーンですくいかけながら15〜20分浸す。

5 パンを焼く

フライパンにバターを熱し、④を卵液ごと入れ、中火で焼き目をつける。裏返したら弱火にし、フタをして3〜4分蒸し焼きにする。

至高のティラミス

好きすぎてイタリアまで習いに
行ったバカな男がいました

100
RYUJI'S SUPREME
COOKING
RECIPE

材料（3〜4人前）

チーズクリーム

- Ⓐクリームチーズ…150g
  常温で柔らかくしておく
  卵黄…1こ分
  砂糖…35g
  ダークラム（ラム酒）
  …大さじ1〜大さじ1と1/2
  お酒が苦手な人はなしでOK

ほかの材料

- 生クリーム（乳脂肪分47%）
  …200cc
- Ⓑインスタントコーヒー
  …大さじ1
  熱湯…100cc
  砂糖…小さじ1と1/2
- クッキー（森永チョイス）
  …8〜10枚
- ココアパウダー（甘くないもの）
  …好みで

仕上げ

- （好みで）ミント

世界で一番
あなたの好きな味を、
あなたの手で作ってください

1 チーズクリームを作る

ボウルにⒶを入れ、泡立て器で角が立つか立たないかくらいまで混ぜ合わせる。（クリームチーズが固い場合は、レンジで20秒ほど温める）

2 生クリームを泡立てる

別のボウルで、生クリームを固めに泡立てる。

3 1と2を合わせる

❶に❷を加え、ヘラで軽くやさしく混ぜ合わせる。冷蔵庫で冷やしておく。

4 クッキーにコーヒーを塗る

器（写真は縦20cm×横14cm×深さ6cmのもの）にクッキー4〜5枚を敷きつめる。Ⓑを混ぜたものを刷毛（スプーン）でたっぷり塗り、染み込ませる。

5 クッキーとクリームを2層にする

❸の半量を流し入れ、平らにする。もう一度❹の工程を行い、残りの❸を流し入れて2層にする。ラップをして冷蔵庫でひと晩冷やし、食べる直前にココアパウダーをふる。

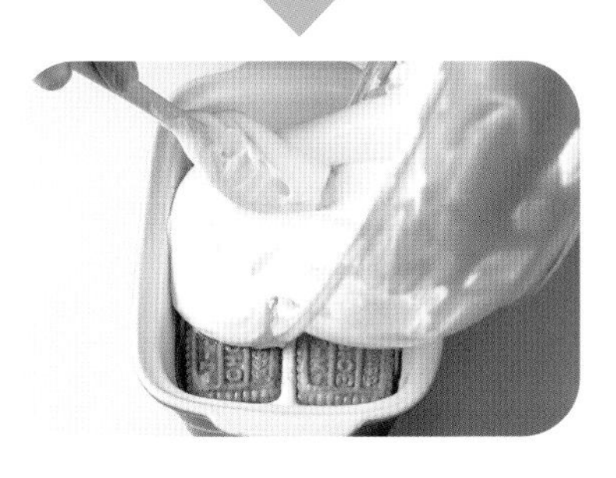

YouTube動画一覧

タマゴサンド

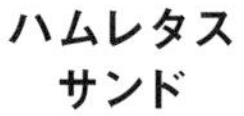

フレンチ
トースト

ティラミス

たまに僕のことを先生と言ってくれる方がいますが、先生は恥ずかしいのでなるべくやめてください。僕は「先生」という上の立場ではなく「近所の料理好きの兄ちゃん」として見ていただきたいです。料理を「教える」のではなく、みなさんと「一緒に楽しむ」のが理想です。これからも何卒よろしくお願いします。先生じゃなくて近所の兄ちゃんだから飲みながら料理するんすよ。先生が飲みながらやってたら怒られるでしょ。なので、還暦過ぎてもおにいさんです酔ってません。

おわりに

幼いころに両親が離婚しました。初めて人のために料理したのは、高校生のときでした。仕事帰りで疲れ切っていた母親のため。何を作ったかというと、「鶏むね肉のソテー」です。スーパーで安かったから鶏むね肉にしました。だれかがネットに上げていたブログを参考にしました。できた料理を母親が「美味しい」と言ってくれたのが嬉しかったです。
それ以来、ぼくは料理を作ることが大好きになって、それが仕事にまでなって、35歳になった今も料理を続けています。今、自分自身もTwitterやYouTubeでレシピを公開しているのは、そのときにだれかがレシピを上げていてくれたことへの恩返しかもしれません。
子どもの頃、母に「今日は煮込みハンバーグが食べたい」「またカレー、ほかのがいい」と言って作ってもらった記憶があります。自分が料理するようになって、それがどれだけ大変で、愛情がないとできないことだとわかりました。自分でやらないとわからないんですよね。だから少しでも、自炊することを広めたいと思ってます。
料理は愛情っていうけど、家族全員のために料理を用意するってこと自体がもう愛情ですよね。ぼくはいつもひとりで食べているから、実家に帰って料理が出てくると、それだけでものすごく嬉しい。もし自分のために料理してくれる人が身近にいたら、大切にしてあげてほしいな。それが当たり前になってたら、なおさら。
結局、ぼくは好きなことをやってるんですよね。今、「好きなことを仕事に!」って社会がなってますけど、一部の人たちはものすごく心苦しいだろうなと思うんです。でもその人たちも頑張っていて、家に帰ったら家族が待ってるとかペットが待ってるとかゲームが待ってるとか漫画が待ってるとか、そういう楽しみってめっちゃ素晴らしくないですか。
好きなことを仕事にしてる人ももちろん素晴らしいけど、好きではない仕事を頑張ってる人もめちゃくちゃ素晴らしいってことを僕は言いたいです。だれかのために料理を作るという仕事も、その1つだと思います。

湿っぽくなっちゃってすみません。
料理のおにいさん、リュウジで〜す!!!!!

リュウジ式 至高のレシピ
人生でいちばん美味しい! 基本のレシピ100

2021年12月5日 第1刷発行
2024年9月7日 第19刷発行

著者 リュウジ
発行者 大塚啓志郎・髙野翔
発行所 株式会社ライツ社 兵庫県明石市桜町2-22
TEL 078-915-1818 FAX 078-915-1819
印刷・製本 シナノパブリッシングプレス

乱丁・落丁本はお取り替えいたします。

ISBN 978-4-909044-34-1

ライツ社HP http://wrl.co.jp

装丁 坂川朱音(朱猫堂)
本文デザイン 坂川朱音+田中斐子(朱猫堂)
イラスト 風間勇人
写真 土居麻紀子
スタイリング 本郷由紀子
調理アシスタント 双松桃子(@momosan0627)
撮影協力 てつや・たつや・ちょも
ライティング 金谷亜美
営業 髙野翔・秋下カンナ
営業事務 吉澤由樹子
編集 大塚啓志郎・有佐和也・感応嘉奈子